Le grand voyage

LIVRE II

Par-Delà le Par-Delà
Forêt des Ombres
Pays du
Soleil d'Argent
Royaumes
du Sud
Lande
Forêt
d'Ambala
Gorges de Saint-Ægolius
N
Pension Saint-Ægolius
pour chouettes orphelines

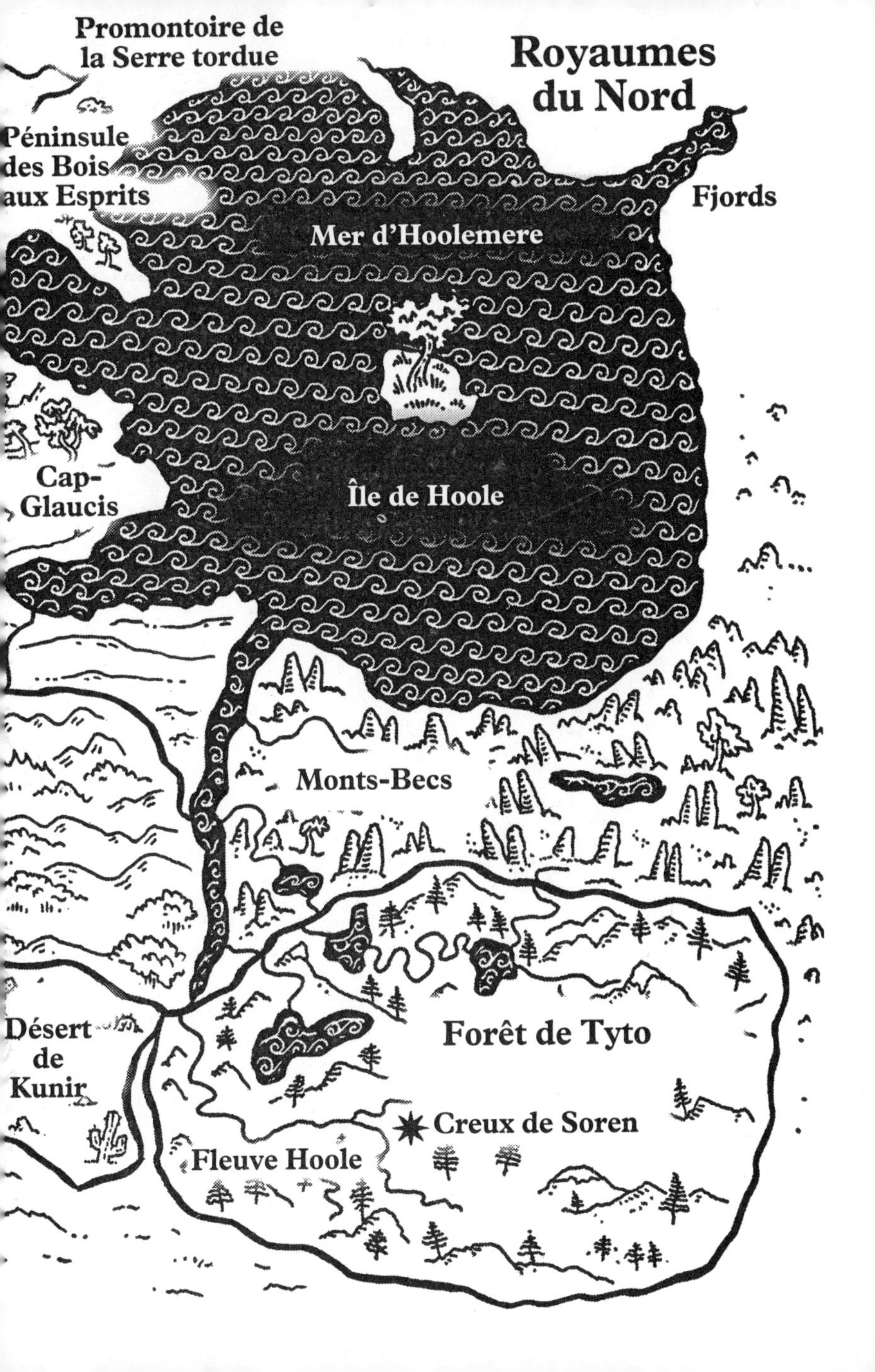
Promontoire de la Serre tordue
Royaumes du Nord
Péninsule des Bois aux Esprits
Fjords
Mer d'Hoolemere
Cap-Glaucis
Île de Hoole
Monts-Becs
Désert de Kunir
Forêt de Tyto
Creux de Soren
Fleuve Hoole

La vaste mer était piquée de mouchetures argentées sous la lune. Puis des branches noueuses d'une dimension stupéfiante se déployèrent dans la nuit. Droit devant eux se dressait le Grand Arbre de Ga'Hoole.

LES GARDIENS de GA'HOOLE

LIVRE II

Le grand voyage

KATHRYN LASKY

Traduit de l'anglais (États-Unis)
par Cécile Moran

POCKET JEUNESSE

L'auteur

Kathryn Lasky est depuis longtemps passionnée par les chouettes et les hiboux. Il y a quelques années, elle a entrepris des recherches poussées sur ces oiseaux et leur comportement. Elle songeait à se servir de ses notes pour écrire un jour un essai, illustré de photographies de son mari, Christopher Knight. Mais elle s'aperçut bientôt que la tâche serait compliquée, ces créatures étant des animaux nocturnes, timides et difficiles à localiser. Elle se décida alors pour un roman, dont l'action se situerait dans un monde imaginaire...

Kathryn Lasky a écrit de nombreux ouvrages. Elle a reçu comme prix le National Jewish Book Award, le ALA Best Book for Young Adults, le Horn Book Award délivré par le *Boston Globe* et le Children's Book Guild Award du *Washington Post*. Fruit d'une collaboration avec son mari, *Sugaring Time*, un essai, a été récompensé d'un Newbery Honor.

Kathryn Lasky et son mari vivent à Cambridge, dans le Massachusetts.

Titre original :
GUARDIANS OF GA'HOOLE
2. *The Journey*

Publié pour la première fois en 2003, par Scholastic Inc., New York.

Loi n° 49-956 du 16 juillet 1949 sur les publications
destinées à la jeunesse : avril 2007.

Artwork by Richard Cowdrey
Design by Steve Scott

ISBN 978-2-266-15520-5

À Max, qui invente de nouveaux univers.

K.L.

Du même auteur,
dans la même collection :

1. *L'enlèvement*
3. *L'assaut*
4. *Le siège*

Les personnages

SOREN : chouette effraie, *Tyto alba*, du royaume sylvestre de Tyto ; enlevé à l'âge de trois semaines par des patrouilles de Saint-Ægolius ; s'est échappé de la pension Saint-Ægolius pour chouettes orphelines

Sa famille :
KLUDD : chouette effraie, *Tyto alba*, son grand frère
ÉGLANTINE : chouette effraie, *Tyto alba*, sa petite sœur
NOCTUS : chouette effraie, *Tyto alba*, son père
MARELLA : chouette effraie, *Tyto alba*, sa mère

Domestique de la famille :
Mme PITTIVIER : serpent aveugle

GYLFIE : chevêchette elfe, ou chevêchette des saguaros, *Micrathene whitneyi*, du royaume désertique de Kunir ; enlevée à l'âge de trois semaines par des patrouilles de

Saint-Ægolius ; s'est échappée de la pension Saint-Ægolius pour chouettes orphelines ; meilleure amie de Soren

PERCE-NEIGE : chouette lapone, *Strix nebulosa,* voyageur solitaire, devenu orphelin à peine quelques heures après son éclosion

SPELEON : chouette des terriers, *Speotyto cunicularius,* du royaume désertique de Kunir ; s'est perdu dans le désert après une attaque au cours de laquelle son frère fut tué et dévoré par des hiboux de Saint-Ægolius

BORON : harfang des neiges, *Nyctea scandiaca,* roi de Hoole

BARRANE : harfang des neiges, *Nyctea scandiaca,* reine de Hoole

MATRONE : hibou des marais, *Asio flammeus,* qui s'occupe de tous les habitants du Grand Arbre de Ga'Hoole avec une tendresse maternelle

STRIX STRUMA : chouette tachetée, *Strix occidentalis*, célèbre professeur, ou ryb, de navigation au Grand Arbre de Ga'Hoole

ELVAN : chouette lapone, *Strix nebulosa*, ryb ou professeur de charbonnage au Grand Arbre de Ga'Hoole

EZYLRYB : hibou petit duc à moustaches, *Otus trichopsis*, ryb de météorologie au Grand Arbre de Ga'Hoole ; mentor de Soren

POOT : nyctale boréal, ou chouette de Tengmalm, *Aegolius funerus*, assistant d'Ezylryb

BUBO : hibou grand duc, *Bubo virginianus*, forgeron du Grand Arbre de Ga'Hoole

MISS PLONK : harfang des neiges, *Nyctea scandiaca*, l'élégante chanteuse du Grand Arbre de Ga'Hoole

OCTAVIA : serpent aveugle, domestique de Miss Plonk et d'Ezylryb

MAXI LA MARCHANDE : pie, commis voyageur

OTULISSA : chouette tachetée, *Strix occidentalis*, jeune femelle de haut lignage, étudiante au Grand Arbre de Ga'Hoole

PRIMEVERE : chevêchette, *Glaucidium gnoma*, rescapée d'un feu de forêt ; est arrivée au Grand Arbre de Ga'Hoole la même nuit que Soren et ses amis

MARTIN : petit nyctale, *Aegolius acadicus*, a rejoint le Grand Arbre de Ga'Hoole grâce aux sauveteurs en même temps que Primevère

RUBY : hibou des marais, *Asio flammeus*, a perdu sa famille dans des circonstances mystérieuses, avant d'être emmenée par les sauveteurs au Grand Arbre de Ga'Hoole

1
Lynchés par des corbeaux

Le serpent était blotti dans le profond collier de plumes de Soren, juste entre ses épaules. Ce dernier défiait les bourrasques en compagnie de ses trois compagnons. Ils volaient depuis des heures et, à présent, le noir d'ébène de la nuit fondait goutte à goutte sous les premiers feux de l'aurore. Une rivière coulait en bas, ornant la terre d'un ruban gris sombre.

— Continuons, suggéra Perce-Neige, l'immense chouette lapone, tant pis s'il fait jour. On approche, je le sens.

Ils voyageaient vers l'île de Hoole, au centre de la mer d'Hoolemere. Sur cette île poussait un arbre appelé le Grand Arbre de Ga'Hoole qui abritait un célèbre ordre de chevaliers. Des braves qui, disait-on, se dressaient chaque nuit dans les ténèbres pour accomplir de nobles exploits. Et l'univers des chouettes et des hiboux avait bien besoin de tels héros, car un mal terrible rongeait ses royaumes.

Au fond d'un labyrinthe de gorges et de ravins se cachait une organisation impitoyable, connue sous le nom de Saint-Ægolius. « Saint-Ægo » avait distillé son venin dans presque toutes les contrées. Soren et sa meilleure amie, Gylfie, la minuscule chevêchette elfe, avaient été capturés par des patrouilles alors qu'ils n'étaient encore que des poussins incapables de voler. Perce-Neige aussi était tombé entre les griffes de ces scélérats, mais il était parvenu à s'échapper avant d'être enfermé dans leur orphelinat. Spéléon, la chouette des terriers, avait vu son jeune frère dévoré par un lieutenant de Saint-Ægo, et ses parents tués. Peu après leur évasion téméraire des canyons rocailleux, Soren et Gylfie avaient rencontré leurs deux nouveaux copains, orphelins comme eux.

Dans le désert taché du sang de deux féroces guerriers d'élite qu'ils avaient combattu côte à côte, une révélation avait à jamais scellé leur amitié. Un sentiment puissant avait germé dans leurs cœurs et leurs gésiers, l'organe des plus vives émotions chez les chouettes. Dorénavant, et pour toujours, ils formeraient une communauté, un clan à la loyauté indéfectible, et dont l'existence serait entièrement vouée à la sécurité des royaumes. Tous pour un et un pour tous ! Ils s'étaient prêté serment dans la plaine aride teintée d'argent au clair de la lune. Ensemble, ils iraient à Hoole et ils atteindraient l'arbre géant, vestige de sagesse et de justice dans ce monde malade. Ils sonneraient l'alarme et préviendraient les gardiens de la nuit des périls qui couvaient. Avec un peu de chance, peut-être deviendraient-ils membres de cet ordre ancestral de chevaliers aux ailes silencieuses.

Ils espéraient n'être plus très loin, même si l'affluent qu'ils suivaient ne s'était pas encore jeté dans le fleuve Hoole, celui qui les conduirait à destination. Perce-Neige semblait sûr de son itinéraire et la simple perspective de rejoindre l'île légendaire les encourageait à forcer l'allure, malgré les rafales aveuglantes qui les assaillaient.

Soren sentit Mme Pittivier remuer dans son cou. Autrefois, Mme P. servait comme domestique dans le creux du sapin où vivaient ses parents. Elle appartenait à une espèce de serpents dépourvus d'yeux ; à la place, elle avait deux petits renfoncements. Ces reptiles habillés d'écailles roses étaient employés par de nombreuses familles de chouettes pour nettoyer les nids et s'assurer que les asticots et autres parasites se tenaient à distance. À Saint-Ægo, Soren avait bien cru ne jamais la revoir. Quelle n'avait pas été sa surprise quand, quelques jours après son évasion, il l'avait retrouvée! Elle avait alors confirmé ce qu'il soupçonnait depuis longtemps: c'était son frère aîné, Kludd, qui l'avait éjecté du nid, profitant de l'absence de leurs parents partis chasser. Il avait survécu à la chute, mais, sans rémiges pour voler, il était resté exposé aux prédateurs des heures durant... Et finalement, le danger était venu de ses semblables. Comment aurait-il pu le deviner? Il avait toujours pensé que les pires ennemis des oisillons étaient les ratons laveurs. Jusqu'au moment où les serres d'un hibou l'avaient arraché au sol. Mme P. suspectait Kludd d'avoir commis la même ignominie envers leur petite sœur Églantine. Et lorsque la pauvre vieille domestique s'était révoltée, il avait menacé de la dévorer! Elle n'avait pas eu le choix: elle avait dû fuir sans tarder.

À présent, elle rampait vers l'oreille gauche de Soren

– la plus haute[1], et par conséquent, celle qui était le plus à sa portée.

— Soren, murmura-t-elle, je ne suis pas certaine que ce soit une bonne idée de poursuivre notre route avec toute cette lumière. On pourrait être attaqués.

— Attaqués ? dit-il en frissonnant.

— Oui, par des corbeaux.

L'avertissement arriva quelques secondes trop tard. Déjà, des battements d'ailes moins discrets que ceux des chouettes claquaient au-dessus de leurs têtes.

— Corbeau au vent ! signala Gylfie.

Soudain le ciel rose pâle se couvrit de noir, et Perce-Neige poussa un cri perçant :

— On est cernés !

« Oh ! par Glaucis ! » songea Soren. Il était pourtant très tôt. La nuit, les corbeaux craignaient les chouettes, qui pouvaient les agresser pendant leur sommeil. Mais le jour, c'était une autre histoire. Ils devenaient terribles : ils indiquaient la présence d'un oiseau nocturne à leurs congénères et, bientôt, une nuée s'abattait sur la proie.

1. Découvrez l'anatomie d'une chouette à l'aide du croquis de la page 291.

— Dispersons-nous ! décida Gylfie. Loopings tous azimuts !

La chevêchette était partout à la fois, voletant à une vitesse folle, tel un insecte apeuré. Elle enchaînait les vrilles et les plongeons en spirale, puis remontait sous le ventre de ses assaillants pour les frapper juste sous les ailes. Ainsi, obligés de les rabattre contre leur corps, ils perdaient de l'altitude. Soren, Spéléon et Perce-Neige suivirent son exemple.

— J'en sens un qui attaque par-derrière ! siffla Mme P. Il est près de ta queue, côté au vent.

Elle recula avec prudence sur le dos de Soren. Il dut ajuster sa position, car le moindre mouvement de sa passagère, toute légère qu'elle était, suffisait à perturber son équilibre. Ensuite, il décrocha pour descendre en piqué. Guidée par l'haleine fétide du corbeau, Mme P. continua de se glisser vers ses rectrices, plus rigides et épaisses que ses autres plumes. Proche de l'asphyxie, elle leva la tête en direction de l'odeur pestilentielle et se mit à fulminer :

— Maudit parasite, canaille, rebut du Par-Delà et de la Terre ! Cornouillesque corneille !

« Par-delà » était le terme qu'utilisaient les serpents

aveugles pour désigner le ciel. Il était si loin, hors d'atteinte ; rien n'était plus inaccessible pour ces reptiles. Mais Mme P. avait gardé l'insulte suprême pour la fin :

— Vous n'êtes que des mous du croupion !

Comme tous ceux de son espèce, elle avait une profonde admiration pour le système digestif des chouettes, qui leur permettait de transformer certains déchets en pelotes qu'elles recrachaient par le bec. Rien à voir avec les fientes dégoûtantes éliminées par les autres volatiles, qu'on surnommait pour cette raison « les mous du croupion ».

Le stupide oiseau freina sec, le bec grand ouvert et les ailes repliées. Il n'en croyait pas ses yeux : un serpent lové sur le dos d'une effraie qui lui lançait une bordée d'injures ! Il était abasourdi au point de « piquer dans les orties », un phénomène tristement connu, la hantise des bêtes à plumes. Tétanisé, il chuta à pic, pendant que le reste de la meute s'égaillait.

— Spéléon est blessé ! s'exclama Perce-Neige.

En effet, la chouette des terriers volait de guingois.

— Il faut atterrir en urgence.

Gylfie les rattrapa, essoufflée.

— Je ne sais pas combien de temps il va tenir. Il avance complètement de traviole !

— Vite ! Je crois pouvoir l'aider, dit Mme P.

— Vous ? fit la chouette lapone, incrédule.

— Tu te souviens comme il avait insisté pour que je voyage sur son dos dans le désert ? Le moment est venu !

Quelques instants plus tard, ils abordaient Spéléon.

— Oh ! Ça va mal se terminer, se lamentait-il. Si seulement je pouvais marcher !

— Tiens bon ! lui cria Soren. Il y a un bosquet près d'ici et Mme P. a une super-idée.

— Ah, oui ? Laquelle ?

— Elle va se placer sur ta bonne aile. Avec son poids, ça te rééquilibrera. Et Gylfie volera sous ton aile blessée pour créer un courant porteur. Ça va fonctionner !

— Je n'en suis pas si sûr, geignit Spéléon avec une mine accablée.

— Ne perds pas confiance, mon garçon ! l'encouragea Mme P. Allons-y.

— Je n'y arriverai jamais...

— Évidemment que si ! affirma-t-elle avec force. Ton

périple ne s'arrêtera pas ici. Tu vas franchir ces forêts et aller jusqu'à Hoolemere. Tu t'es défendu contre des corbeaux, tu as parcouru des déserts à patte et à tire-d'aile, et tu abandonnerais là? Non! Peu importent les vents mauvais, la lumière éblouissante, la fatigue, tu iras au bout de cette étape. Hardi, oisillon!

L'enthousiasme de Mme P. éclatait dans l'aube rayonnante et emplissait ses jeunes compagnons d'audace.

Soren se stabilisa au niveau de Spéléon de sorte que leurs ailes l'une contre l'autre forment un pont.

— On est prêts, madame P.! Go!

Lentement, celle-ci entama la périlleuse traversée. Inquiet, Soren guettait les changements de pression autour de son corps. L'air semblait s'effilocher et il devait se concentrer pour ne pas chavirer. Mais si lui était effrayé, qu'aurait dû dire Mme P. qui progressait à l'aveugle et s'apprêtait à opérer un transfert compliqué, à des dizaines de mètres au-dessus du sol?

— J'y suis presque, mon petit, j'y suis presque. Ne bouge pas.

Soudain, il se sentit tout léger. Il tourna la tête et constata avec soulagement qu'elle avait réussi: elle se dirigeait vers la base de l'aile de son ami. Là, miracle! Celui-ci se redressa.

— On le ramène sain et sauf! s'écria Perce-Neige, triomphant, avant de joindre ses efforts à ceux de Gylfie.

Ils se posèrent sur un sapin, dont le tronc était percé d'un creux parfait pour y passer la journée. La bouillonnante Mme Pittivier se mit aussitôt à l'œuvre.

— J'ai besoin de vers de terre longs et gras, et de sangsues! Allez! Ouste! Dépêchez-vous! Moi, je reste ici avec Spéléon. Cela ne te fera pas mal, trésor, lui assura-t-elle en s'installant sur son dos. Je dois examiner la blessure que ces ignobles brutes t'ont infligée. (Doucement, elle inspecta l'écorchure de l'extrémité de sa langue fourchue.) La plaie est superficielle. Je vais m'enrouler juste dessus en attendant que tes copains reviennent. La peau des serpents a de nombreuses vertus, elle s'avère très utile dans bien des cas. Cela étant, rien ne vaut un gros ver de terre: ils sont moins secs.

Soren, Gylfie et Perce-Neige furent bientôt de retour avec les « remèdes » réclamés par Mme P.

— Il faut coller deux sangsues sur la coupure, expliqua-t-elle à Soren. Elles vont la nettoyer et empêcher les risques d'infection. Les corbeaux sont sales, tu n'as pas idée !

Une fois qu'elles eurent accompli leur mission, Mme P. les retira et les remplaça avec délicatesse par deux énormes lombrics. Spéléon soupira.

— Ah ! c'est bon !

— Oui, rien de tel qu'un ver visqueux pour apaiser les douleurs. Tu seras prêt à décoller dès demain soir.

— Merci, madame P., merci beaucoup.

Il cligna ses grands yeux jaunes avec une expression ébahie. Et dire qu'il avait failli dévorer cette femelle serpent dans le désert, comme tant d'autres avant elle !

Dans le sapin où ils nichaient, un second creux accueillait une famille d'effraies masquées.

— Ils vont nous rendre visite, annonça Gylfie. C'est fou comme ils te ressemblent, Soren.

— N'importe quoi ! protesta-t-il.

Il en avait assez d'entendre que les diverses variétés d'effraies, toutes membres du genre Tyto, se ressemblaient.

D'ailleurs, ses parents s'en plaignaient souvent quand il était encore au nid avec eux. D'accord, elles avaient le visage blanc et les ailes couleur chamois, mais elles étaient bien distinctes. Les masquées avaient plus de taches sur la poitrine et le crâne.

— Ils vont venir ici ? s'affola Mme P. Oh, seigneur ! c'est dans un tel désordre ! On ne peut pas les recevoir maintenant. Je n'ai même pas fini de soigner notre Spéléon !

— Ils ont eu vent de l'attaque, dit Gylfie. On est devenus des célébrités dans la région ! Cette bande de corbeaux a fait des ravages par ici. Personne n'arrive à croire qu'on leur ait tenu tête.

Les effraies masquées ne tardèrent pas à faire irruption. La maman passa son bec dans le trou.

— Nous ne dérangeons pas, au moins ?

— Alors, qu'est-ce que je te disais ? chuchota Soren à Gylfie. Ils sont très différents. Ils sont beaucoup plus gros et plus sombres que moi.

La chevêchette ne sembla décidément pas convaincue.

— Nous tenions à rencontrer les jeunes héros, déclara le mâle.

— Ouiii, vous leur avez mis la pâtée, à ces corbeaux !

Comment vous avez fait ? pépia un oisillon qui commençait à peine à perdre son premier duvet.

— Oh, ce n'était pas si difficile, confia hypocritement Perce-Neige, les yeux baissés.

— Pas si difficile ! s'exclama Mme P. J'en suis plutôt fière, en ce qui me concerne !

— Vous ! s'esclaffa le mâle masqué.

— Comment pourrait-elle avoir joué un rôle dans cette aventure ! cracha la femelle. Une domestique !

Mme Pittivier se recroquevilla un peu et remit en place un lombric récalcitrant sur l'aile de Spéléon. Soren se hérissa de colère et parut soudain presque aussi large que les visiteurs.

— Au contraire ! Figurez-vous que sans elle un ennemi me serait tombé dessus par-derrière et le pauvre Spéléon ne serait pas rentré avec nous.

Le couple cligna des paupières.

— Ah... marmonna la femelle en se dandinant avec nervosité. Nos employées ne nous ont pas habitués à un comportement si... hum... combatif. Les nôtres sont sans doute mollassonnes, comparées à cette... comment l'appelez-vous déjà ?

— Son nom est Mme PI-TTI-VIER, répondit Soren avec un mépris mal dissimulé.

— Bien... Sachez que par ces latitudes nous n'encourageons pas les serviteurs à se mêler à notre société.

— Ce qui s'est produit dans le ciel n'avait rien d'un échange de mondanités, m'dame, se fâcha Perce-Neige.

— Alors, les enfants, les interrompit le mâle dans une tentative désespérée de détourner la conversation. Quels sont vos projets ?

— Nous allons vers Hoolemere, au Grand Arbre de Ga'Hoole, l'informa Soren.

— Vous m'en direz tant ! lança la dame masquée sur un ton ironique.

— Oh, maman ! cria le petit. C'est l'endroit dont je te parlais. On pourrait y aller ?

— Absurde ! Tu sais ce que nous pensons de ce genre d'affabulations.

Le poussin recula, penaud.

— Ce n'est pas une affabulation ! s'insurgea Gylfie.

— Voyons, vous n'êtes pas sérieux, fit le papa. Il ne s'agit que d'une légende.

— Vous gaspillez votre temps, lâcha sa compagne, que

Soren détestait de plus en plus au fil des secondes. À quoi bon se monter la tête ? Vous n'avez aucune preuve de l'existence de cet arbre. À en juger par votre apparence, il est évident que vous êtes soit des fugueurs, soit des orphelins. Sinon, pourquoi seriez-vous dehors à faire des acrobaties à des heures aussi dangereuses ? Vos parents auraient honte de vous. Je suis certaine qu'ils vous ont donné une autre éducation, conclut-elle en regardant Soren.

Ce dernier était sur le point d'éclater de rage. Qu'en savait-elle, cette vieille bique ? Comment osait-elle prétendre que ses parents auraient honte de lui ? Mais Mme Pittivier lui coupa l'herbe sous la patte. Elle sortit du recoin où elle s'était réfugiée et fit entendre sa voix flûtée, douce et sifflante.

— Moi, j'ai honte pour ceux qui ont deux yeux et qui ne savent pas s'en servir.

— Plaît-il ? s'étrangla le monsieur masqué.

— Ah ! De mon temps, les domestiques se taisaient et restaient à leur place, gronda la femelle. C'est incroyable !

— Et je ne compte pas m'arrêter là. Je vais continuer sur ma lancée, si vous permettez.

Elle arrangea ses anneaux en une élégante spirale et pivota la tête vers Soren.

— Naturellement, madame Pittivier, acquiesça-t-il. Je vous en prie, poursuivez.

D'un geste vif, elle braqua le nez droit sur l'horripilante voisine, qui en fut toute tourneboulée.

— J'ai beau être un serpent aveugle, qui dit que je ne vois pas aussi bien que vous ? Il est si commun de percevoir le monde à travers ses pupilles ; moi, je vois avec mon corps – ma peau, ma langue, mes vertèbres. Entre les battements lents de mon cœur, je m'ouvre à la richesse de notre univers. Oh ! Je connaissais déjà le Par-Delà avant d'avoir le plaisir de voler entre les ailes de Soren. Vous me traiteriez d'idiote, madame, si je soutenais mordicus que le ciel n'existe pas, puisque je ne peux ni l'admirer ni l'explorer. Vous auriez raison. Eh bien, moi, j'estime que seule une imbécile peut affirmer qu'Hoole n'existe pas.

— Ah ! Ça, par exemple ! hoqueta l'autre en se tournant vers son mari. Elle me traite d'imbécile !

Et Mme Pittivier ne s'en tint pas là.

— Le ciel n'existe pas uniquement pour que palpitent

votre cœur, votre gésier et vos os creux, madame. Non, qu'on le nomme le firmament, le royaume de Hoole, le paradis ou Glaumora – cette cité où vous, les chouettes, pensez aller après la mort –, il fascine de nombreuses espèces. Il est le Par-Delà de toutes les créatures, pour peu qu'elles libèrent leur âme et leur esprit afin de ressentir les choses au plus profond de leur être. Certains feraient bien d'en prendre de la graine.

Sur un hochement de tête distingué, elle s'en retourna dans son coin tandis qu'un lourd silence envahissait le tronc du sapin.

Les quatre jeunes attendirent l'obscurité avant de repartir.

— Terminé, les escapades en pleine lumière! décréta Mme P. D'accord?

— D'accord, répondit le quatuor à l'unisson.

Ils longeaient à présent les frontières de la forêt de Tyto, le royaume natal de Soren. Celui-ci était aussi leste et vif que d'habitude, pourtant sa passagère le trouvait d'humeur taciturne. Il ne se mêlait pas aux bavardages de ses camarades. Sans doute songeait-il avec tristesse à sa famille disparue, en particulier à sa sœur Églantine qu'il aimait par-dessus tout. Les chances de les revoir étaient infimes, il en était conscient. Il évoquait rarement ses sentiments, mais une fois il avait avoué à Mme P. qu'il avait l'impression d'avoir un trou dans le gésier. Ce vide n'était pas vraiment douloureux et il s'était en partie comblé depuis ses retrouvailles avec sa nounou. Néanmoins, sans nouvelles de ses parents, il ne se refermerait jamais.

Dès que l'éclat des étoiles commença à ternir, ils cherchèrent un lieu où atterrir. Gylfie repéra un platane aux feuilles argentées par cette nuit sans lune. Son croissant s'était caché depuis peu, et le premier quartier n'apparaîtrait pas avant au moins deux jours.

2

Chez les effraies ombrées

— Oh, oui, j'en ai entendu parler, mais il ne s'agit que d'un mythe, d'un lieu légendaire, n'est-ce pas ?

— Difficile à dire, Choupinette.

Les quatre amis avaient été chaleureusement accueillis dans le creux spacieux du platane par un couple d'effraies ombrées, beaucoup plus sympathiques que leurs cousines masquées. Ce mâle et sa compagne étaient adorables, si adorables... et si ennuyeux ! Ils se donnaient des petits noms – Choupinou et Choupinette – et n'avaient jamais un mot plus haut que l'autre.

— Nos enfants sont tous déjà partis. Les derniers ont quitté le nid il y a un an, même s'ils sont toujours dans les parages, expliqua le mâle. Qui sait ? Peut-être Choupinette aura-t-elle une nouvelle couvée lors de la prochaine pondaison ? Sinon, on ne se tracasse pas : tant que nous serons ensemble, nous ne manquerons de rien !

Sur ce, ils entreprirent de se lisser mutuellement le plumage. Ils n'arrêtaient pas, impossible de les décoller ! Ils passaient leur temps le bec fourré dans les plumes de leur compagnon – sauf quand ils chassaient. Là, ils se transformaient en tueurs exceptionnels, impitoyables. Soren n'avait jamais aussi bien mangé de sa vie. D'ailleurs, Perce-Neige avait recommandé à ses copains de les observer avec attention : les effraies ombrées figuraient parmi les rares espèces de chouettes capables de traquer des proies dans les branches, et pas seulement à terre.

Le soir venu, ils dégustèrent trois écureuils volants. Les voyageurs furent surpris par leur goût très sucré. Pas étonnant qu'avec un tel régime, le couple d'ombrées soit devenu si mielleux ! Soren était au bord de l'indigestion. Encore une seconde de mots doux et de propos dégoulinants de tendresse, et il ne répondait plus de lui. Par chance, la conversation dériva sur le Grand Arbre de Ga'Hoole. Choupinette interrogea son mari :

– Que veux-tu dire, Choupinou ? Est-ce une légende, oui ou non ?

— Il paraîtrait que l'endroit serait tout simplement invisible.

— « Tout simplement » ? Je ne vois pas ce qu'il y a de simple à être invisible, objecta Gylfie.

— Ohh ! hooo-hooo ! chuintèrent-ils en se tordant de rire.

— Elle ne te rappelle pas Tibby, Choupinou ?

S'ensuivirent moult gazouillis, gloussements et caresses du bec. C'en était écœurant. Pourtant, Soren trouvait la remarque de Gylfie pleine de bon sens.

— En effet, reprit Choupinou, cela n'a rien de simple. En fait, l'Arbre de Ga'Hoole pousserait sur une île au beau milieu de la mer d'Hoolemere, qui est presque aussi vaste qu'un océan et toujours nappée de brouillard. L'île serait enveloppée par les blizzards et l'arbre voilé de brume, de jour comme de nuit.

— Ce n'est pas de la magie, ça ! s'exclama Perce-Neige. C'est juste le climat.

— Sauf qu'on prétend que, pour certains, le brouillard

se lève, les blizzards cessent de souffler et les rideaux de brume s'écartent.

— Pour certains ? susurra Gylfie.

— Oui, pour ceux qui y croient. (Choupinou marqua une pause et renifla avec dédain.) Croire à quoi ? Je vous le demande ! Non... Il y en a qui ont vraiment des idées extravagantes ! Ridicules ! De celles qui ne sont bonnes qu'à vous attirer des soucis. Choupinette et moi, nous n'accordons aucun crédit à ces fantaisies. Et puis, c'est bien joli, les rêves, mais ça ne remplit pas l'estomac. Nous avons des écureuils volants, des rats dodus, des campagnols – que vouloir de plus ?

Choupinette l'approuva d'un hochement de tête. Il se remit alors à lui lisser les plumes pour la millième fois de la journée. Et pour la millième fois, Soren pensa qu'il n'y avait pas de couple plus assommant sur terre.

Vers la fin de l'après-midi, tandis qu'ils étaient confortablement installés dans le creux, Gylfie remua soudain et chuchota :

— Tu es réveillé, Soren ?

— Oui. J'ai hâte d'être à Hoolemere.

— Moi aussi. Mais un truc me chiffonne...

— Quoi ?

— Éclair et Zana, à ton avis, ils s'aiment autant que Choupinou et Choupinette ?

Éclair et Zana étaient deux pygargues à tête blanche qui leur avaient porté secours dans le désert, lorsque Spéléon avait essuyé l'attaque des crapules de Saint-Ægo, celles-là mêmes qui avaient dévoré son frère Flick. Les deux aigles leur avaient paru très dévoués l'un envers l'autre, et cela bien que Zana ne puisse articuler le moindre son, car sa langue avait été arrachée lors d'une bataille.

« En voilà une question intéressante », songea Soren. Ses propres parents ne s'étaient jamais autant câlinés que ces deux-là et ils ne s'appelaient pas par des petits noms ; cependant, il n'avait douté à aucun instant de leur amour.

— Je ne sais pas... Je ne comprends rien aux couples. Tu te vois, toi, avec un compagnon ?

Un long silence précéda la réponse de la chevêchette.

— Non, franchement, je n'y arrive pas.

Ils entendirent Perce-Neige s'agiter dans son sommeil et s'efforcèrent de se rendormir.

— Un écureuil de plus et je crois que je vais vomir, gémit Spéléon entre deux renvois. Ils me remontent dans le gosier.

Dès le crépuscule, les quatre amis avaient fait leurs adieux aux effraies ombrées. Ils étaient ensuite partis en quête d'un arbre qui leur offrirait un bon point de vue sur la vallée, afin de repérer un ruisseau, ou n'importe quel cours d'eau susceptible de se jeter dans le fleuve Hoole, leur fil conducteur vers la mer d'Hoolemere.

— Ils font quoi ? demanda Soren qui avait du mal à s'imaginer des marsupiaux escaladant le gosier de Spéléon.

— C'est une expression que mon père sortait toujours quand il mangeait des mille-pattes, soupira Spéléon. Maman le taquinait avec ça : « Évidemment, mon chéri. Avec leurs dizaines de papattes, ils doivent être en train de galoper et de faire la course à l'intérieur de ton ventre. »

Ses copains éclatèrent de rire.

— Ma maman est très rigolote. Ses plaisanteries me manquent...

— Allons, le réconforta Gylfie. Ne te tourmente pas.

— Tout est si différent maintenant, ma vie est chamboulée. Je n'habite pas en l'air, moi. Je suis une chouette des terriers. D'habitude j'occupe des tanières dans le désert et je ne chasse pas ces fichues bestioles qui se déplacent dans les feuillages. Qu'est-ce que je ne donnerais pas pour regoûter au serpent et autres créatures terrestres ! Oh, pardon, madame P.

— Je ne peux pas t'en vouloir, Spéléon. La plupart des chouettes se nourrissent de reptiles, quoique ceux de mon espèce soient rarement au menu puisque nous nettoyons les nids. Le père et la mère de Soren, qui s'en privaient par respect pour moi, étaient d'une délicatesse peu commune.

Perce-Neige sauta sur une branche haute pour élargir son champ de vision.

— Ça m'étonnerait qu'il distingue quoi que ce soit avec cette lumière, grommela Gylfie. Il a beau se vanter de sa vue extraordinaire, un ruisseau noir sur une forêt noire : laisse tomber !

Soudain, Soren pencha la tête d'un côté, puis de l'autre.

— Qu'y a-t-il ? l'interrogea Spéléon.

— Tu entends quelque chose ? fit Perce-Neige.

Ce gros lourdaud bondit sur une brindille, qui craqua bruyamment sous son poids.

— Chuuut !

En silence, ils observèrent la chouette effraie qui inclinait et pivotait le crâne par une série de mouvements subtils, presque imperceptibles.

— Il y a un ruisseau ! Il n'est pas bien épais, mais il prend sa source entre des roseaux et il s'écoule sur des cailloux.

Les effraies étaient réputées pour leur ouïe inégalée. Elles pouvaient contracter et dilater les muscles de leurs disques faciaux afin de conduire un son jusqu'à leurs oreilles dissymétriques et ainsi localiser son origine. Les camarades de Soren en étaient béats d'admiration.

— Allons-y, suivez-moi !

Pour une fois, il remplaça Perce-Neige à la pointe de la formation en vol. Tout en naviguant, il continua de bouger la tête pour calculer avec précision la position du cours d'eau. Au bout de quelques minutes, ils rencontrèrent un maigre ruisselet qui gambadait entre les rochers, emplissant l'étroit vallon d'une douce musique. Puis, à l'aube, il s'était changé en fleuve – le fleuve Hoole.

— Sacré travail de triangulation ! le félicita Gylfie. Tu es prodigieux, Soren. Tu es vraiment un navigateur hors pair.

— Qu'est-ce qu'elle baragouine ? bougonna Spéléon.

— Grosso modo, elle dit que c'est grâce à lui qu'on est ici. Eh oui ! Plus on est minus, plus on emploie de grands mots !

Derrière son ton ironique, il était évident que Perce-Neige était impressionné, lui aussi.

— Bon, qu'est-ce qu'on fait ? demanda Spéléon.

— On suit le fleuve jusqu'à la mer d'Hoolemere, répondit Perce-Neige. C'est parti ! Il nous reste encore quelques heures avant l'aurore.

— Vous n'en avez pas marre de voler ?

— Quoi ? Tu voudrais marcher ?

— Je ne serais pas contre. Mes ailes sont fatiguées. Et ce n'est pas à cause de ma blessure, elle est guérie maintenant.

Les trois autres le dévisagèrent avec stupeur. Gylfie sautilla jusqu'à lui et le fixa avec insistance.

— Les ailes ne se fatiguent pas. C'est impossible.

— Les miennes, si. On pourrait se reposer un peu ?

Les chouettes des terriers étaient de remarquables coureuses. Dotées de longues pattes déplumées, elles traversaient les déserts en trottant ou à tire-d'aile. Mais elles étaient moins douées et endurantes en vol que leurs lointaines cousines.

— De toute façon, j'ai faim, trancha Soren. Je pars à la chasse.

— N'attrape pas d'écureuils, par pitié ! supplia Spéléon.

3

Le grand numéro de Perce-Neige

Soren débusqua quelques campagnols qu'ils savourèrent dans le creux d'un sapin.

— Hmm ! Ça revigore après les écureuils, hein ? s'écria Gylfie.

Spéléon fit claquer ses mandibules et poussa un soupir de satisfaction.

— À votre avis, à quoi il ressemble, le Grand Arbre de Ga'Hoole ? dit Soren d'un air rêveur, une petite queue de rongeur dépassant négligemment du bec.

— Ce dont je suis sûre, c'est que c'est un endroit très différent de Saint-Ægo, affirma Gylfie.

— À ce propos, vous croyez qu'ils sont au courant

là-bas pour Saint-Ægo ? Les expéditions, les enlèvements d'œufs, le... le...

— Le cannibalisme, compléta Spéléon. Tu peux le dire, Soren. Ce n'est pas la peine d'essayer de me protéger. J'ai été témoin des pires atrocités, je le sais.

En réalité, ils avaient tous été confrontés à des drames. En voyant Perce-Neige enfler de fureur, Soren sut exactement ce qui allait arriver. L'énorme chouette lapone avait déjà oublié les chevaliers de Ga'Hoole, ces nobles gardiens du ciel et de la nuit ; il pensait aux ignobles, méprisables, vils et monstrueux hiboux de l'orphelinat. Il avait perdu ses parents si jeune qu'il n'en avait gardé aucun souvenir. Pendant longtemps, il avait mené une existence de vagabond, planant avec des aigles, cohabitant avec diverses sortes d'animaux, y compris un renard – raison pour laquelle, à l'inverse de la plupart de ses congénères, il refusait d'en chasser. Prédateur puissant et redoutable, il se flattait d'avoir grandi à l'école de la vie. Il avait dû tout apprendre par lui-même. C'était également un adversaire fort et adroit, aussi rapide avec ses serres qu'avec son bec. Et il n'avait pas une once de modestie ! L'atmosphère s'électrisa tandis qu'une silhouette se mettait à danser dans la pénombre, attaquant un ennemi imaginaire et improvisant ses propres louanges d'une voix tonitruante :

On va les boxer, ces bousiers,
Leur faire cracher leurs gésiers,
Face à Perce-Neige, Spéléon, Soren et Gylfie
Ils vont regretter d'être en vie !
Une gauche – cric –, une droite – crac !
Un uppercut et patatrac !
Les uns sont K-O, les autres morts de trac !
Mes plumes sont à peine froissées,
Et déjà je les entends pleurnicher :
« Non, Perce-Neige, épargne-nous,
Aie pitié de nous, pauvres hiboux ! »
Je lis la peur dans vos yeux
Fuyez, canailles, ça vaut mieux.

Un direct par-ci, une fente par-là, un crochet de la patte droite – Perce-Neige virevoltait dans le trou. Il brassait l'air au point que Gylfie, la plus légère du groupe, devait planter ses griffes dans l'écorce pour tenir debout.

Un mini-ouragan soufflait dans le tronc. Enfin, il conclut sa chorégraphie et se dirigea vers son coin en roulant des mécaniques.

— Tu as fini d'évacuer ton agressivité ? demanda Gylfie.

— Hein ?

— Tu t'es bien défoulé, quoi ?

Il émit un grognement de dédain.

— Oh ! Les minus et leurs grands mots...

Il adressait souvent ce reproche à la chevêchette elfe, qui avait tendance à utiliser des expressions compliquées.

— Allons, les jeunes ! siffla Mme P. Ne commencez pas. Gylfie, je crois que face au cannibalisme l'agressivité et la fureur sont des réactions appropriées. Ces infâmes fripouilles devraient être rayées de la surface du globe.

— Encore des grands mots, mais cette fois je suis d'accord. Entièrement d'accord, madame P. ! hulula Perce-Neige, ravi.

Soren restait muet. L'Arbre de Ga'Hoole ne quittait pas ses pensées. Comment les nobles chevaliers accueilleraient-ils une chouette comme Perce-Neige – si mal dégrossie mais si puissante, si effrontée et pourtant si loyale, si hargneuse et cependant si sincère ?

4

Fuyez, pauvres fous !

Ils quittèrent le sapin à la nuit tombée. Des lambeaux de nuages s'effilochaient dans le ciel. La forêt était si dense qu'ils devaient voler au ras des cimes pour ne pas perdre de vue le fleuve Hoole. Celui-ci rétrécissait parfois pour devenir un étroit lacet scintillant. Puis les arbres s'espacèrent et Perce-Neige indiqua qu'ils dominaient à présent la région des Monts-Becs. Pendant quelques minutes, le fleuve sembla éclater en une gerbe de ruisselets. Ils craignirent de s'égarer sur la piste de l'un de ces affluents, mais si chacun nourrissait des doutes, il n'était pas question de céder à la panique. Au tréfonds de leurs gésiers frémissants, ils sentaient que, telle la gale, le doute était une grave maladie contagieuse capable de se propager de chouette en chouette.

Ils n'auraient su dire combien de ruisseaux et de rivières ils avaient suivis en vain quand Spéléon s'écria :

— J'aperçois quelque chose ! C'est... euh... blanchâtre... Enfin, grisâtre.

— « Âtre » ? Sacré nom de Glaucis ! ça signifie quoi, « âtre » ? rouspéta Perce-Neige.

— Que ce n'est ni franchement blanc ni franchement gris, l'informa Gylfie.

— Ah... Je vais jeter un coup d'œil. Maintenez la formation jusqu'à mon retour.

Il descendit en piqué, et remonta presque aussitôt.

— Devinez quoi ? C'est de la fumée.

— De la fumée ? s'exclamèrent les trois autres, stupéfaits.

— Vous savez ce que c'est, au moins ?

Perce-Neige s'efforçait de rester patient avec ses copains, qui étaient loin d'avoir son expérience de la vie.

— Je crois, oui... hésita Soren. Tu veux dire qu'il y a un feu de forêt ?

— Non ! Du moins, plus maintenant. Les bois des Monts-Becs sont petits – assez ridicules, en vérité. Les bosquets sont maigres et disséminés. L'incendie ne peut pas s'étendre.

— Je parierais sur une combustion spontanée, supposa Gylfie.

Perce-Neige la foudroya du regard : sans cesse en train d'essayer de lui chiper la vedette avec ses tournures alambiquées, celle-là ! Il n'avait pas la moindre idée de ce qu'était une combustion spontanée. Il se demandait d'ailleurs si elle-même savait de quoi elle parlait. Mais il décida de ne pas la reprendre, pour cette fois.

— Allons voir ça de plus près.

Ils se posèrent sur le tapis moussu de la forêt, au bord du rideau de fumée. Celle-ci semblait émaner d'une grotte située sous une saillie rocheuse. Quelques charbons ardents étaient éparpillés çà et là, parmi des bouts de bois calciné.

— Spéléon, cria Perce-Neige, tu es aussi doué pour creuser que pour courir avec tes longues cannes déplumées ?

— Un peu, mon neveu ! À ton avis, comment on retape

nos tanières ? On ne se contente pas d'occuper les trous qu'on rencontre par hasard, figure-toi.

— Alors, montre-nous comment on fait. Il faut vite enterrer ces braises avant que le vent se lève et les emporte. Sinon, on aura vraiment affaire à un incendie.

La tâche n'était pas de tout repos, surtout pour Gylfie qui, des quatre, avait les pattes les plus courtes.

— Je serais curieuse de savoir ce qui a bien pu arriver, dit-elle en profitant d'une pause pour observer les environs.

Une lueur attira son attention. Elle crut d'abord qu'il s'agissait d'un fragment de bois brûlé, mais un charbon ne pouvait pas briller dans l'obscurité de cette nuit sans lune. Elle cligna des paupières. L'objet dévoila ses contours, prenant une forme familière. Elle sentit son gésier se glacer d'effroi et, comme hypnotisée, elle avança vers les reflets dorés.

— Des serres de combat ! murmura-t-elle.

Soudain, une plainte sinistre résonna depuis la grotte :

— Fuyez, pauvres fous ! Allez-vous-en !

Ils demeurèrent figés sur place, pétrifiés. Des yeux luisants, aussi rouges que les braises, étincelèrent devant l'entrée de la caverne, et une odeur fétide envahit l'atmosphère. Puis deux crocs blancs et recourbés tranchèrent les ténèbres.

— Un lynx ! hurla Perce-Neige.

Les quatre chouettes prirent leur envol à coups d'ailes puissants. Le félin poussa un rugissement terrible, à briser le ciel en mille morceaux. Soren était abasourdi. Tout s'était enchaîné si vite qu'il avait oublié de lâcher le tison qu'il tenait dans son bec.

— Soren, fais gaffe ! s'égosilla Gylfie.

Il s'en débarrassa aussitôt et, dans l'instant qui suivit, un second feulement leur déchira les tympans. Une ombre plus noire que l'horizon bondit, avant de s'effondrer au sol en se tordant et miaulant de douleur.

— Ouah ! La vache ! jubila Perce-Neige. Tu l'as touché ! En plein dans le mille !

— J'ai... quoi ?

— Venez, on fonce droit sur lui ! On va l'achever.

— L'a... l'achever ? bredouilla Soren.

— Tous avec moi. Vise les yeux. Gylfie, méfie-toi de sa queue. Moi, je prends la gorge. Spéléon, tu attaques un flanc.

Quand l'escadron descendit porter le coup fatal, Soren constata les dégâts qu'il avait commis : l'animal était éborgné et une orbite fumante pleurait de minuscules braises. Spéléon planta ses serres dans le flanc de la bête secouée de convulsions, tandis que Gylfie lacérait son imposant museau. Perce-Neige entailla la gorge d'un mouvement sec et le sang éclaboussa les étoiles. Le fauve ne faisait plus un bruit. Il gisait, inerte, dans la forêt, la tête rongée par le charbon. Des relents de fourrure brûlée empuantirent l'air pendant que son pouls ralentissait et que des flots de sang se déversaient de sa plaie béante.

— Il voulait les serres de combat ? Un lynx ? s'étonna Soren.

À l'époque où il était avec Gylfie à Saint-Ægo, leur vieil ami Scrogne, un nyctale boréal qui s'était sacrifié pour leur permettre de s'évader, leur avait expliqué que les guerriers de Saint-Ægo étaient incapables de fabriquer leurs serres de combat eux-mêmes. Ils étaient donc obligés de les récupérer sur les champs de bataille. Mais pourquoi un lynx en aurait-il besoin ? Les longues griffes aiguisées qui prolongeaient ses pattes étaient bien plus terrifiantes.

— Non, cria Perce-Neige depuis l'entrée de la grotte. Il traquait ce qui se trouvait là-dedans.

— C'est quoi ? s'enquirent les autres en chœur.

— Une chouette agonisante, répondit Mme Pittivier en sortant de l'antre où elle s'était réfugiée durant la bagarre. Entrez, j'ai l'impression qu'elle veut parler. Espérons qu'elle en ait la force.

Les jeunes pénétrèrent à l'intérieur de la cavité. Un tas de plumes brunes jonchait le sol près d'un creux peu profond où rougeoyaient encore des tisons. Ils reconnurent une chouette rayée mâle, malgré les taches de sang qui maculaient son plumage et l'angle inhabituel du bec.

— N'accusez pas le lynx, gémit-il. Il n'est arrivé qu'après... après les...

— Après qui, monsieur ? demanda Gylfie.

Elle se pencha sur le bec en biais pour mieux entendre les faibles murmures du mourant.

— Ceux qui cherchaient à dérober les armes, n'est-ce pas ? suggéra Soren.

Il crut voir le blessé hocher la tête. Son souffle s'éteignait inexorablement.

— Étaient-ce des guerriers de Saint-Ægo ? chuchota Gylfie.

— Si seulement ! Non, ceux-là sont bien pires... Les sbires de Saint-Ægo sont des agneaux en comparaison.

Sur ces mots funestes, il exhala son dernier soupir.

Les quatre compagnons clignèrent des yeux et se regardèrent en silence.

— « Si seulement » ! répéta Spéléon. Alors il y aurait des méchants encore plus méchants que ceux de l'orphelinat ?

— Impossible, fit Soren.

— D'abord, où sommes-nous ? dit Gylfie. Pourquoi des serres de combat traînent-elles par ici ? Nous ne sommes pas sur un champ de bataille ; sinon, on verrait d'autres oiseaux mutilés ou morts.

Ils se tournèrent vers Perce-Neige.

— Qu'en penses-tu ? l'interrogea Soren.

Pour une fois, il séchait.

— Je ne sais pas. Certains prétendent qu'il existe des chouettes très rusées qui vivent à l'écart, toutes seules, sans être attachées à aucun royaume. Parfois, elles louent leurs services pendant les guerres. Je crois qu'on les appelle les Pattes Graissées. Ce mâle était peut-être l'une d'elles. Cette région est vraiment étrange. Il n'y a pas beaucoup de forêts, mais de nombreuses chaînes de collines comme celle qu'on a survolée hier, avec quelques bosquets par endroits. Du coup, les grands troncs étant rares, elle n'est pas très peuplée. À mon avis, ce gars était un solitaire.

Ils contemplèrent le cadavre.

— Que va-t-on faire de lui ? murmura Soren. On ne peut pas le laisser ici, à la merci des lynx. D'autant qu'il a tenté de nous prévenir du danger.

Spéléon prit la parole d'une voix chevrotante :

— Selon moi, ce n'était pas contre le lynx qu'il nous mettait en garde...

— Quoi qu'il en soit, on ne peut pas l'abandonner. C'était un mâle valeureux... et noble ! affirma Soren avec fougue. Même s'il ne vivait pas parmi les chevaliers de Ga'Hoole.

— Tu as raison, approuva Perce-Neige. Honorons ce héros. Si ce n'est pas un lynx qui rapplique, ce seront les corbeaux ou les vautours. Et ces sales charognards ne l'auront pas ! À une époque, j'habitais chez une famille de petits ducs à moustaches, à Ambala. Quand leur grand-mère est morte, ils l'ont couchée dans une sorte de creux funéraire située au sommet d'un arbre.

— Perce-Neige, objecta Gylfie, tu l'as dit toi-même : il n'y a que des bois de seconde classe par ici. Il nous faudra des heures pour dénicher un creux convenable.

Soren étudia les lieux.

— Ce mâle vivait à l'intérieur de cette caverne. Ça se voit : pelotes fraîches à l'entrée, une réserve de noix par ici, et là-bas, un campagnol tiède, sûrement destiné à son prochain repas... Le mieux est peut-être de...

— Non, c'est impensable, l'interrompit Gylfie. Autant le livrer aux prédateurs !

— Je suis d'accord avec Soren, ajouta Spéléon. Son âme est encore là.

Spéléon n'avait rien d'une chouette ordinaire. Avec son corps si singulier, plus adapté à la course qu'au vol, et sa préférence marquée pour les terriers plutôt que pour les nids en altitude, il avait une tournure d'esprit très différente de celle de ses camarades. Ainsi, s'il avait un sens pratique plus rudimentaire, ses goûts étaient moins ordinaires. Tandis que les autres s'intéressaient à la chasse, aux corvées quotidiennes et, en somme, aux petites joies de l'existence, lui fouillait et sondait les recoins de sa conscience, méditant sur le sens de la vie ou sur les possibilités d'un au-delà après la mort.

— Oui, il est encore là, dans cette grotte. Tu ne le sens pas, Gylfie ?

— Bon, alors, verdict ? s'impatienta Perce-Neige.

Soren continuait d'observer les parois de ses yeux sombres et brillants comme des pierres polies.

— Il a fait du feu à plusieurs reprises. Regardez les murs : aussi noirs que les ailes d'une chauve-souris. J'ai l'intuition qu'il fabriquait des objets dans cette fosse. Je crois que... Je crois qu'on devrait le brûler.

— Le brûler ? marmonnèrent ses amis.

— Oui, ici même. Les braises sont toujours incandescentes. Cela devrait suffire.

Ils conclurent le pacte d'un hochement de tête. Cette solution paraissait juste et sensée. Avec délicatesse, ils firent rouler la chouette rayée jusque sur les charbons. Lorsque les premières plumes commencèrent à s'allumer, Gylfie frissonna.

— Brr... On est obligés de rester ?

Tristes, ils se dirigèrent vers la sortie et s'envolèrent dans la nuit.

Ils s'élevèrent en profitant de courants ascendants, puis ils décrivirent trois cercles au-dessus de la clairière. Des volutes de fumée s'échappaient de la bouche de la caverne. Mme Pittivier rampa entre les épaules de Soren, à travers son épais collier, et lui glissa à l'oreille :

— Je suis fière de toi, Soren. Tu as sauvé un brave des outrages des charognards.

Évidemment, il ignorait le sens du terme « outrage », mais il espérait de tout son cœur avoir bien agi. En attendant, cela ne lui disait pas comment ils allaient trouver le Grand Arbre de Ga'Hoole. Ni ce qui se cachait derrière les terribles mots du moribond : « Si seulement ! »

5
Les Lacs Miroirs

Mme Pittivier était tracassée pour ses petits. Leur peur était naturelle. La simple idée qu'une bande encore plus cruelle que celle de Saint-Ægo puisse sévir dans les parages était terrifiante. Ils avaient besoin de temps pour se reposer et se détendre. Quand Perce-Neige leur dépeignit une contrée formidable à la lisière des Monts-Becs, où gambadaient des ribambelles de campagnols dodus, où il n'y avait pas l'ombre d'un corbeau et où l'intérieur des arbres était tapissé d'une mousse aussi moelleuse que du duvet, ils ne purent résister à l'envie d'y aller. Et, en effet, la région des Lacs Miroirs était un véritable paradis.

Du moins, Mme P. le crut au début. Mais bien vite elle se rendit compte qu'un piège se dissimulait sous la surface miroitante de l'eau et la splendeur paisible de la vallée verdoyante. Ah! Perce-Neige avait loupé une occasion de se taire! À présent, les quatre oiseaux avaient tout oublié de l'épreuve qu'ils venaient de traverser dans la forêt. À peine avaient-ils emprunté la direction des Lacs que des brises douillettes et ondoyantes, à l'image du paysage vallonné, les avaient accueillis. Ils les avaient chevauchées avec un plaisir intense. Flotter ainsi sans effort leur procurait des sensations incomparables, enivrantes. Peu avant l'aube, ils avaient repéré plusieurs étangs calmes qui scintillaient entre les bourrelets de terre, si limpides qu'ils réfléchissaient la moindre étoile.

Avec son gibier foisonnant et ses vagues d'air chaud si agréables à sillonner, les Lacs Miroirs étaient une oasis au milieu de la lande stérile des Monts-Becs. La joyeuse troupe élut domicile dans un creux d'une taille idéale, jonché de coussins de mousse soyeuse.

— C'est le rêve, ici! s'extasia Gylfie pour la centième fois.

Voilà, justement, le hic selon Mme P.: séduites par un mirage, les quatre chouettes perdaient le contact avec la réalité. Malgré ses recommandations, les jeunes ne pouvaient s'empêcher de batifoler en plein jour. Ils étaient comme ensorcelés par l'eau tranquille, brillante et d'une clarté incroyable, sans vase souillant le fond, ni saletés à la surface. Aucun n'avait jamais vu son reflet auparavant, hormis Perce-Neige – et encore, pas avec une telle netteté.

Soren craqua le premier. Lorsque Gylfie lui signala que son exploit avec le charbon lui avait laissé une tache sur le bec, il alla se poser sur la rive afin de se débarbouiller. Jusqu'alors, il avait toujours pensé que l'eau ne servait qu'à boire et éventuellement à se laver. Mais en se penchant au-dessus du lac, il eut un choc.

— Papa !

— C'est toi, trésor, murmura le serpent aveugle – pour qui les reflets n'avaient pas plus de mystères que le firmament étoilé. Ton nouveau visage te plaît ?

— Il est tout emplumé et blanc, comme celui de Papa. Je suis si... si...

— Beau ?

— Euh... oui, admit-il en étouffant un rire gêné.

Son embarras fut de courte durée. Sa modestie ne survécut pas longtemps à cette découverte, pas davantage que celle de ses compagnons. Dès lors, ils passèrent des heures à se mirer côte à côte depuis la berge. Et quand ils en avaient assez de se contempler dans cette position, ils décollaient et enchaînaient les roulés-boulés et les tonneaux dans les courants ascendants, émerveillés devant les reflets de leurs fabuleuses figures. Perce-Neige, qui était déjà le plus vantard, devint insupportable. Il ne se lassait pas de célébrer sa beauté et son physique athlétique tandis qu'il zigzaguait dans les cieux.

— Visez-moi ça : je rebondis sur les nuages !

Il avait même composé une chanson en son honneur, intitulée « Les astres sont jaloux de moi » :

Qui a un plumage plus vaporeux qu'un nuage,
Doux et chatoyant comme l'aurore,
Aussi splendide que Glaucis est sage ?
C'est moi, Perce-Neige, le cador !
Perce-Neige, le tigre des cieux,
L'astre de la nuit,
Le Magnifique, le Prodigieux,
Je rayonne,
Je ronronne,
Franchement, je m'impressionne.

Regardez-moi ça!
Je vrille, je pique, je fends les cumulus – hop là!
Je suis un as, un crack,
Appelez-moi le roi des Lacs!

— Ssssauf que tu ne fends pas les cumulussss, bougre d'âne! tonna Mme P.

Elle avait senti que les nuages étaient très hauts ce jour-là, et que Perce-Neige, trop occupé à s'admirer, volait au ras de l'eau. En fait, il jouait avec les reflets qui vibraient sur le lac comme sur du verre poli. Voilà le cœur du problème: ces jeunes écervelés prenaient des images, des illusions, pour le monde réel. Les Lacs Miroirs les avaient éblouis, au point qu'ils avaient oublié tout ce pour quoi ils s'étaient battus jusqu'à maintenant. Avaient-ils mentionné ne serait-ce qu'une fois le Grand Arbre de Ga'Hoole et ses nobles chevaliers depuis leur arrivée dans ce maudit endroit? Ou la pauvre chouette rayée? Avaient-ils reparlé des actions dévastatrices de Saint-Ægo? Soren avait-il songé à sa chère famille? À Églantine?

Un autre détail la chiffonnait: dans les royaumes qu'ils

avaient traversés, l'hiver commençait à s'installer. Ici, c'était toujours le plein été ! Les feuilles restaient vertes, les herbes souples, la terre chaude. À l'évidence, une malédiction planait sur les lieux. Ils devaient fuir. Cette vallée était aussi dangereuse que les canyons de Saint-Ægo.

— Venez immédiatement ici, tous autant que vous êtes !

Jamais un sifflement de serpent n'avait autant ressemblé à un grondement de fauve. Soren, qui étudiait son bec sous toutes les coutures (il aimait assez la tache qui s'était formée dessus ; il trouvait que cela lui donnait du « caractère », selon les termes de Gylfie), fut contraint de s'interrompre.

— Madame P., au nom de Glaucis, qu'y a-t-il ?

— Oh ! Je vais t'en fiche, moi, du nom de Glaucis !

Il faillit tomber à la renverse. Mme P. avait juré ? Elle lui avait crié après ? *Sa* Mme P. ? Un parfum venimeux se répandit dans l'atmosphère.

— Hé ! beugla Perce-Neige. Vous avez vu mon super-looping ?

— Crottes de raton ! J'en ai marre de toi et de tes loopings à la noix !

Un silence atterré se propagea entre les quatre oiseaux. « Crottes de raton » ! Elle avait bien prononcé « crottes de raton » ? Cette fois, ça y était, elle avait perdu la boule.

— Qu'est-ce qui ne va pas, madame P. ? demanda Soren d'une voix timide.

— Ce qui ne va pas ? Arrêtez un peu de vous tourner vers ce lac et regardez-moi. Je vais vous le dire ce qui ne va pas. Vous êtes la honte de vos familles !

— On n'en a plus, vous vous rappelez ? fit Perce-Neige en bâillant.

— C'est pire ! Tu es la honte de ton espèce !

Cette réponse le déconcerta.

— De mon espèce ?

— Parfaitement. Et cela est valable pour chacun d'entre vous. Vous êtes devenus gras, paresseux et prétentieux. Vous... vous... bredouilla-t-elle. (Soren pressentit qu'une remarque acerbe allait fuser.) On dirait des mous du croupion !

Un éclat assourdissant s'éleva subitement d'une

branche en surplomb, sur laquelle était réunie une douzaine de mouettes. Leurs rires secs ricochèrent sur l'eau, brouillant l'espace d'un instant les reflets des chouettes.

— On quitte cette vallée de perdition, MAINTENANT !

— Et les corbeaux, alors ? Il ne fait même pas nuit, protesta faiblement Gylfie.

— Tant pis pour vous !

— Vous voulez nous sacrifier aux corbeaux ?

— De toute façon, vous êtes en péril ici aussi, par votre propre faute.

Si elle avait eu des yeux, elle les aurait foudroyés du regard. Mais ils n'en étaient pas moins traumatisés. Cette remontrance leur laissa un goût amer dans la bouche et un nœud à l'estomac.

— Préparez-vous à décoller. Perce-Neige...

— Oui, m'dame.

— Je monte avec toi.

— Bien, m'dame.

La chouette lapone se recroquevilla afin qu'elle puisse grimper entre ses larges épaules. Des quatre chenapans, il était le plus impressionné par sa colère. Et celle-ci le soupçonnait de tenter de rebrousser chemin à la première opportunité. À situation exceptionnelle, remède exceptionnel. « Une vieille domestique qui doit naviguer à la place d'une grosse chouette lapone, mais où va le monde ? Le tigre des cieux, quelle blague ! »

En effet, quelques mètres plus loin, il ne put se retenir de virer sur l'aile pour repasser au-dessus du lac, sûrement dans l'intention de se contempler une dernière fois. La manœuvre s'accompagna d'une de ses chansons favorites :

Tes ailes d'argent déployées jusqu'à la lune,
Dans ton regard de braise, une lueur d'or,
À travers des nuages couleur prune
Tu planes, digne et gracieux, tel le condor.
Ô Perce-Neige, phénix des chouettes,
Tu façonnes l'air de tes rémiges sublimes.
Et avec ça, poète !
Tout en volant, tu fais des rimes.
Ô Perce-Neige, phénix des chouettes.

Ayant senti une mouette s'approcher, Mme Pittivier s'était dressée et ondulait la tête en guise d'avertissement.

La vilaine bête l'ignora et soudain – *splash*! Une affreuse tache blanche éclaboussa les ailes somptueuses du phénix...

— Oh! Non! s'écria Perce-Neige.

— Elles t'apprécient, se moqua Mme P. Il paraît que ça porte bonheur!

Vexé comme un pou, il retraversa le lac en ligne droite sans un regard en arrière.

6

Les Fjords

L'hiver les reprit sans crier gare. Dès que les Lacs Miroirs eurent disparu, des rafales glaciales et des tourbillons de flocons, parfois mêlés de grêlons, les cinglèrent de plein fouet. Les crêtes onduleuses avaient cédé la place à des pics pointus, et les molles brises à des vents contraires qui perturbaient les voyageurs. De la glace commença à se former sur leurs becs et, en quelques minutes, Gylfie perdit le contrôle de sa trajectoire. Perce-Neige vint à la rescousse.

— Reste dans mon sillage, lui hurla-t-il par-dessus les rugissements de la tempête.

La situation était grave.

— Il est trop dangereux de continuer. Cherchons un coin pour atterrir. Ses rémiges sont en train de geler, et les nôtres ne vont pas tarder.

Sitôt que Perce-Neige évoqua ce nouveau péril, Soren sentit ses ailes s'alourdir. Il les examina et faillit s'étrangler en notant l'état de son « peigne », ces petites plumes soyeuses alignées sur la frange externe de ses primaires. Il était tout raide à cause du givre et l'air sifflait en passant au travers. « Grand Glaucis ! Je vole comme une mouette ! »

Ils mirent le cap sur l'arbre le plus proche. Le creux était minuscule, inconfortable et grouillant de vermine.

— C'est épouvantable ! s'indigna Mme P. A-t-on jamais vu pareille invasion !

Perce-Neige ne se gêna pas pour regretter à voix haute la mousse tendre et épaisse des Lacs Miroirs.

— Quelqu'un a-t-il le courage d'aller en cueillir ? proposa Mme P. En attendant, je vais tâcher de manger autant de vermisseaux que possible.

Soren risqua un œil à l'extérieur.

— Le vent souffle de plus belle. On n'y voit rien et la couche de neige est si profonde que je serais étonné qu'on en trouve.

— On peut toujours mâchouiller des aiguilles de pin, suggéra Gylfie. D'abord, tu les écrabouilles et ensuite tu les fais glisser dans l'estomac. Attention, il faut veiller à ce qu'elles ne descendent pas jusqu'au gésier. Tu les gardes là un moment, et après tu les régurgites : elles ressortent en bouillie et quand elles sèchent, elles deviennent presque aussi douces que de la mousse. Techniquement parlant, le procédé de régurgitation est différent de celui des pelotes.

— On se fiche pas mal des détails, grogna Perce-Neige, tant que c'est moelleux.

— Essayons, approuva Spéléon. Aller me promener dans cet ouragan ne me dit vraiment rien.

Les jeunes tendirent donc le cou juste assez loin pour saisir des aiguilles. Ils se remplirent le bec, mastiquèrent, avalèrent les boulettes dans leur première poche digestive, puis recrachèrent. Pendant ce temps, Mme Pittivier se chargea d'aspirer les asticots, les larves de lucanes, ainsi qu'un ou deux de ces lombrics surnommés les « passagers clandestins » – ceux-ci avaient la fâcheuse tendance de s'installer sur les ailes sans y être invités – bref, toutes les bébêtes préjudiciables à la santé des chouettes. Au bout d'une heure, elle était écœurée.

— Même si ma vie en dépendait, je ne pourrais pas gober un lucane de plus.

Tout à coup, un gargouillis tonitruant résonna dans le creux.

— C'était quoi ? s'affola Spéléon.

— À la vôtre ! s'exclama Perce-Neige.

Il rouvrit un large bec et rendit la fausse mousse avec un second rot à faire trembler le tronc.

— Oh ! À mon tour ! clama Spéléon.

Et voilà les quatre copains rotant, rigolant et hululant à qui mieux mieux. Ils s'amusaient comme des fous tandis que dehors les éléments se déchaînaient. Ils organisèrent un concours et inventèrent des récompenses. Il fallait naturellement élire le rot le plus sonore, le plus joli glouglou, le plus dégoûtant et, enfin, le plus distingué. Alors que les garçons étaient persuadés que Gylfie allait décrocher ce dernier, ce fut Soren qui l'emporta, tandis qu'elle gagnait le prix du plus dégoûtant.

— C'est d'un vulgaire ! marmonna Mme P.

Ils se lassèrent vite de ce petit jeu et commencèrent à se demander quand le blizzard se calmerait. En secret, leurs esprits voguaient vers les Lacs Miroirs, bien qu'ils soient trop fiers pour l'admettre. Ils se remémoraient en silence leurs longues journées de farniente, leurs acrobaties spectaculaires au-dessus de l'eau scintillante. Et la nourriture, tellement succulente!

— Oh! Je donnerais n'importe quoi pour un campagnol juteux, se plaignit Soren.

— Bonne nouvelle, les enfants: le vent faiblit. On décolle, décida Mme P.

Elle comprenait ce qui leur trottait dans la tête et refusait de les laisser se bercer de vaines illusions. Elle devait à tout prix les remettre en route.

— C'est ça que vous appelez «faiblir»? cria Spéléon.

— Il a baissé, je t'assure. En tout cas, ce n'était pas en restant planté là-bas, à crachoter des aiguilles de pin, que vous alliez vous rapprocher de l'Arbre de Ga'Hoole.

«D'accord, mais comment s'en rapprocher?» se désespérait Soren. Ils ne voyaient pas plus loin que le bout de leurs becs. Derrière eux, le ciel était opaque et saturé de neige; dessous, le brouillard était si dense que pas une cime ne dépassait; des bouffées glaciales semblaient souffler de nulle part.

— J'aperçois des falaises, indiqua Perce-Neige en s'écartant de sa position. Je crois que si on longeait la côte, elles pourraient nous protéger.

— Ça ne coûte rien d'essayer, dit Soren. Gylfie, tu ferais mieux de te mettre au milieu.

Les garçons étaient devenus experts dans l'art d'abriter la chevêchette elfe au centre de leur formation triangulaire, dès que les conditions climatiques l'exigeaient.

— OK, remontons au vent en crabe ! hurla Perce-Neige.

Au cours de cette opération, les oiseaux feintaient en progressant par une série de diagonales, un peu à la manière des crabes : plutôt que de lutter face à face contre un blizzard déterminé à les balayer, ils le pénétraient à l'oblique. Ainsi, ils pouvaient se diriger vers sa source. Lentement, certes, mais au moins ils ne gelaient pas sur place.

Cependant, ils avaient beau être vigoureux et très entraînés, à leur grande surprise, leurs ailes exposées aux furieuses rafales se fatiguèrent. Bientôt, ce fut la torture.

Soudain, un terrible mugissement ébranla le ciel. Les compagnons furent aspirés sur la droite, comme si une griffe géante les avait attrapés au collet, et ils heurtèrent un mur de glace.

— Tenez bon, madame Pittivier! dit Soren tout en dévalant une surface froide et lisse.

Il ne la sentait plus dans son collier. Avait-elle chuté? Ses ailes ne lui obéissaient plus et ses serres ripaient sans rien accrocher. Il dégringolait à une allure étourdissante. Toutefois, il fut doublé par une grosse boule grise. Perce-Neige? Pas le temps de cogiter. Il avait l'impression que son gésier et ses os se désintégraient. Heureusement, il finit par s'arrêter. Sonné, le souffle coupé, il remarqua qu'il avait atterri sur un rebord blanc, brillant et légèrement recourbé.

— Vous en avez de la veine aujourd'hui, glousse une voix flûtée. Voici pour toi, pour toi, pour toi et... Qu'est-ce que?...

— Qui parle? Qui est là? s'écria-t-il, tandis que Gylfie rebondissait sur son derrière en pestant.

Par chance, ses copains et Mme Pittivier avaient survécu. Ils étaient étalés sur le dos, les yeux braqués sur un trou creusé dans la paroi d'où sortaient trois nez bien alignés.

— C'est quoi ? s'interrogea Gylfie. Je n'avais jamais croisé de créatures aussi bizarres... Ce ne sont sûrement pas des oiseaux, en tout cas.

— Non, je confirme, fit Perce-Neige.

— Vous croyez qu'ils appartiennent au règne animal ?

— Pourquoi ? Il y en a d'autres ?

— Ben... Celui des plantes...

— Maintenant que tu le dis, ils ont un côté un peu végétal, vous ne trouvez pas ? commenta Spéléon.

— Végétal ? répéta Soren.

— Hum... réfléchit Gylfie. C'est à cause de cet énorme machin orange vif qui pousse au centre de leur... euh, visage, je suppose. On dirait un fruit.

— Quoi ? brailla l'un des inconnus. On n'est pas des génies, mais nous, au moins, on fait la différence entre un visage et une plante.

— Pardon, mais honnêtement vous ressemblez à ces cactus en fleur qu'on voit dans le désert, se justifia Spéléon.

— C'est mon bec, crétin ! Il n'y a pas de cactus en fleur dans ma famille, je vous le garantis. D'ailleurs, je ne sais même pas ce que c'est.

— Alors vous êtes de quelle espèce? intervint Mme Pittivier.

— Et vous, par mes pattes palmées, vous êtes quoi au juste? rétorqua-t-il.

— Je suis un serpent... un serpent domestique. Je sers les plus nobles des oiseaux: les chouettes.

— Nous, déclara la créature qui n'était pas un cactus, nous sommes des macareux.

— Des macareux! s'exclama Perce-Neige. Pourtant... Les macareux n'existent que dans le Grand Nord.

— Oh! ricana un des petits. Dis, papa, hein que je suis plus intelligent?

— Mais alors, raisonna Gylfie, nous sommes dans les régions du Nord!

— Ouah! Bingo! se moqua un autre. Ils font des progrès, ma parole!

— Maman, la fille a donné une bonne réponse, pépia un troisième en surgissant du trou. Qu'est-ce qu'elle a gagné?

Son bec démesuré était presque aussi long que son corps.

— Oh, on plaisantait, Dumpy.

— Co... comment on s'est débrouillés pour atterrir ici ? bafouilla Soren.

— Le vent a dû vous écarter de votre route, expliqua la femelle. D'où venez-vous ?

— Des Monts-Becs, le renseigna Perce-Neige.

— Et où allez-vous ?

— Sur l'île, dans la mer d'Hoolemere.

— Mes pauvres amis ! Vous l'avez dépassée de deux mille kilomètres, minimum !

— Quoi ? On l'aurait survolée sans s'en apercevoir ? s'étrangla Spéléon.

— S'il vous plaît, où sommes-nous exactement ? s'enquit Gylfie.

— Vous êtes dans les Fjords, au-delà d'Hoolemere, à la frontière des Royaumes du Nord.

— Quoi ? glapirent-ils en chœur.

— Ne vous faites pas de reproches, les consola le mâle. La faute au mauvais temps !

— A-t-on déjà eu beau temps par ici, chéri ? souligna sa compagne.

— Non, bien sûr. Mais aujourd'hui, entre les bourrasques et le williwaw qui les a projetés contre notre mur, pas étonnant qu'ils se soient égarés !

— C'est quoi, un williwaw ? demanda Soren.

— Une rafale de vent froide et puissante qui descend de la montagne, un peu comme une avalanche. J'imagine que vous ne savez pas ce qu'est une avalanche ?

— Ben non, avoua Spéléon.

— Une sorte d'immense glissement de neige. Un williwaw, c'est pareil, mais avec de l'air glacé.

— Vous habitez là-dedans ? demanda Perce-Neige.

— Oui. Voici notre humble demeure !

— Où nichez-vous ?

— Dans les fissures et les cavités rocheuses. Il y a des éboulis derrière cette paroi. On rencontre des coins où s'installer en cherchant bien. Vous allez le constater par vous-mêmes, car une tempête se prépare. Vous feriez mieux de rentrer avec nous, les chouettes. Suivez-moi.

Le nid-iglou était spacieux, mais il y flottait une puanteur atroce.

— C'est quoi, cette odeur ? murmura Gylfie.

— Quelle odeur ? fit Dumpy.

— Ça, là ! renifla Spéléon.

— Sûrement le poisson, dit le père.

— Vous mangez du poisson ?

— Nous n'avons rien d'autre ! Vous auriez intérêt à vous y habituer.

— À ce propos, je vais aller pêcher avant que l'orage éclate, annonça la femelle.

Tandis qu'elle se dandinait vers l'issue, Soren apprécia toute l'excentricité de cet animal. Non seulement sa face était grotesque, avec son bec orange gros comme une patate et ses yeux noirs cerclés de rouge posés au milieu d'ovales blancs légèrement obliques, mais les lignes de son corps étaient des plus saugrenues. Grassouillette, dépourvue de la moindre grâce, la poitrine bombée en avant, Dame Macareux paraissait toujours au bord de la culbute. Comment cette chose pouvait-elle voler ? C'était un mystère. Elle trépigna quelques secondes au-dessus du vide, semblant hésiter à décoller, puis elle moulina des ailes avec maladresse et plongea dans la mer. Le spectacle valait le déplacement : elle se transforma soudain en bolide hydrodynamique fendant les eaux avec aisance. Ensuite, elle disparut complètement. Soren,

Perce-Neige, Spéléon et Gylfie, penchés à l'ouverture, attendirent son retour. Ils patientèrent, patientèrent, et finirent par s'alarmer.

— Monsieur, bredouilla Gylfie, je crois qu'il est arrivé malheur à votre femme... Elle... elle a sauté et, depuis, elle n'a pas réapparu.

— Oh! Elle n'est pas près de remonter! Il y a une sacrée quantité de becs à nourrir.

Une éternité s'écoula avant qu'elle ne brise la surface, plusieurs poissons pendus à son bec.

— La voilà! La voilà! s'écria Gylfie.

— Notre chère maman, soupira Dumpy. J'espère qu'elle rapporte des tacauds. Je les adore! Si vous n'aimez pas, vous m'offrirez les vôtres? S'il vous plaît, s'il vous plaît, s'il vous plaît!

— D'accord, accepta Soren, dont la faim diminuait au fil des minutes passées dans ce nid puant.

— Regardez! fit Perce-Neige. Comment va-t-elle sortir?

Tout le monde s'entassa à la fenêtre. En bas, la femelle courait sur les vaguelettes en battant frénétiquement des ailes.

— Ah : décollage sur l'eau... Très difficile, surtout pour nous qui ne sommes pas des as du vol. Notre spécialité, ce serait plutôt le plongeon : nous possédons des poches pour emmagasiner l'air qui nous permettent d'aller très profond sous l'eau, et pendant longtemps. Le retour, en revanche, est un peu problématique...

Il s'avança et appela sa femelle.

— Chérie, essaie par là, sous la corniche, il y a moins de remous.

Elle le lorgna avec une mine courroucée et cria à travers son bec plein de poissons :

— Le vent me pousse dans le dos, gros malin : tu veux que je fonce dans le mur ? Tu as un glaçon à la place de la cervelle ou quoi ? Et si je m'écrasais, où irait ton dîner, hein ? Puisque tu es si intelligent, tu n'as qu'à pêcher toi-même.

— Oh, pardon, suis-je bête ! Nous ne sommes vraiment pas dégourdis, s'excusa-t-il à l'intention de ses invités. Enfin, on nage bien, on sait pêcher et les intempéries ne nous effraient pas, c'est déjà ça !

En réalité, les macareux savaient des tas de choses et ils n'étaient pas stupides du tout.

— Ils se dévalorisent, décréta Gylfie.

Par exemple, ils étaient très calés en météorologie. Grâce à cela, ils purent indiquer avec précision à Soren et ses copains quand ils devraient décamper s'ils ne voulaient pas essuyer une nouvelle tempête.

— Vous voyez, les jeunes, expliqua le mâle, neuf jours sur dix, le vent s'engouffre avec violence entre les Fjords. Mais, le dixième, il peut tourner et vous aspirer dans le sens opposé. Alors vous tomberez sur des courants qui vous ramèneront vers les Monts-Becs, si tel est votre désir.

Les quatre chouettes se jetèrent des coups d'œil en silence. L'idée était alléchante. Cet endroit était si dur, si froid, sans parler de l'odeur atroce du poisson et de l'atmosphère poisseuse qui leur engluait les plumes et le gésier. Aux Lacs Miroirs, ce serait encore l'été, les campagnols dodus abonderaient dans la vallée et les brises seraient tièdes. Ils mentiraient s'ils prétendaient ne pas être tentés.

— Quand doit-on partir ? demanda Soren.

— Étant donné que vous préférez voyager de nuit, je vous recommande de vous sauver ce soir. Le vent changera de direction au crépuscule. Vous n'aurez aucun mal à naviguer et, une fois que les rafales souffleront sur vos rectrices, vous filerez aussi vite que l'éclair, droit vers Hoolemere.

— Et le blizzard ? s'inquiéta Gylfie.

— Il ne se lèvera pas avant demain.

— On a intérêt à se reposer maintenant, observa Soren.

— Excellente idée, acquiesça Mme Pittivier.

— Venez au fond du nid, leur conseilla la femelle macareux. Le soleil va jaillir et son reflet sur la banquise est si éblouissant que même les paupières fermées, vous risqueriez de vous blesser.

Il faisait plus sombre à l'arrière, mais la lumière restait vive car des flots étincelants se réverbéraient sur les rochers gainés de blanc.

Le *floc-floc* régulier de la glace en train de fondre n'empêcha pas Soren de s'endormir. Peut-être ce bruit lui rappelait-il une certaine région chaude où son adorable visage se reflétait sur des étendues d'eau cristalline ? Pourquoi ne pas y retourner ? D'ailleurs, où étaient-ils censés se rendre, au départ ? Il ne se souvenait plus que des brises tièdes qu'il chevauchait gaiement avec ses amis, des lacs calmes, transparents, et de l'été sans fin. Pas de neige, pas de blizzard. Il pourrait y couler des jours heureux toute sa vie. Ce rêve s'accrochait à lui. Son cœur palpitait dans son sommeil, son gésier faisait des bonds et l'obscurcité l'envahit à mesure que s'exacerbait sa nostalgie des Lacs Miroirs.

— C'est l'heure ! Debout, là-dedans !

Le mâle macareux secouait Soren de l'extrémité de son grand pied palmé.

— Le vent décline. Vous pouvez partir. Le mur pleure.

— Hein ? Le mur... pleure ?

— Oui, il dégèle, signe que l'air se réchauffe : les thermiques sont arrivés.

Les trois autres se tenaient déjà près de la sortie. En effet, le mur gouttait. Brillant d'humidité, miroitant, il s'embrasa sous les feux du couchant qui le recouvraient de gerbes roses, orange et rouges.

— Dumpy ! cria le papa. Viens par là, fiston. Je veux que tu observes leur envol. Ces oiseaux sont les champions du vol silencieux. Avec eux, tu n'entendras pas un battement d'aile !

Soren examina ses compagnons à tour de rôle. Il n'était pas le seul à avoir rêvé des Lacs Miroirs. Tous mouraient d'envie de rebrousser chemin. Était-ce un crime ? Perce-Neige se glissa à côté de lui.

— Soren, on a réfléchi tous les trois.

— Et ?

— Au sujet des Lacs Miroirs. Pourquoi ne pas y séjourner pendant quelque temps ? Histoire de se relaxer et d'oublier le goût du poisson. On savourerait un festin de campagnols et, ensuite, cap sur Hoole ?

Sa proposition était si séduisante... Soren sentit Mme Pittivier remuer entre ses épaules.

— Il... il y a un ennui, balbutia-t-il.

— Lequel ?

— Si nous revenons en arrière, nous n'irons jamais à l'île de Hoole.

Perce-Neige marqua une pause.

— Bon... Et si chacun décidait pour lui ? Tu nous en voudrais beaucoup ? Rien ne t'interdirait de continuer ta route.

La nervosité de Gylfie était palpable. Après le décollage, Soren pivota la tête et la regarda. Ils avaient survécu au déboulunage et à l'inlunation ensemble. Ils s'étaient échappés de Saint-Ægo. Puis il fixa Perce-Neige et Spéléon. Dans le désert, ils avaient affronté tous les quatre les assassins du frère et des parents de la chouette des terriers. Dans la plaine aride tachée de sang, sous un clair de lune argenté, les quatre copains s'étaient juré de former un clan indestructible. C'était en bande qu'ils s'étaient promis d'aller à Hoolemere et de trouver le Grand Arbre de Ga'Hoole. Leur espoir était alors concret et réel, contrairement à l'éternel été des Lacs Miroirs, un songe enchanteur qui menaçait à présent leur belle fraternité et, au bout du compte, leur raison de vivre.

— Qu'y a-t-il de mal à ce que chacun fasse ce qui lui plaît ? persista Perce-Neige.

— Ça va à l'encontre des principes d'un groupe, répliqua-t-il avec fermeté.

Là-dessus, il bifurqua loin des Fjords, rejoignant un bras de fleuve qui se jetait dans la mer d'Hoolemere.

7
La tempête de neige

Les macareux leur avaient recommandé de longer un courant marin sinueux et vert sombre qui les guiderait à l'extérieur des Fjords, puis jusqu'à l'île dans la mer d'Hoolemere. Soren était soulagé de l'avoir trouvé si rapidement. Même si les autres semblaient avoir compris son point de vue, la moindre difficulté aurait pu les décourager. Au moins, pour l'instant, ils étaient sur le bon chemin. Une erreur de navigation, un coup de vent susceptible de les égarer sur une mauvaise piste, et il ne jurait plus de la survie du groupe. L'attraction exercée par les Lacs Miroirs était puissante. Bizarrement, cela lui rappelait cette nuit à Saint-Ægo, quand il s'était évadé avec Gylfie. Lorsque Crocus, armée de patte en cap avec ses serres de combat et son casque, les avait surpris dans la bibliothèque, elle avait subitement été comme aimantée par un mur derrière lequel étaient entreposées des paillettes. Elle s'était aplatie contre la cloison, restant paralysée pendant plusieurs secondes, ce qui leur avait permis de s'échapper. Mais comment un simple souvenir pouvait-il produire ce genre d'effet? Ils n'avaient qu'à suivre le courant émeraude qui scintillait sous leur ventre. En théorie, rien de sorcier.

Ils volaient vite et sans relâche depuis des heures. Peu à peu l'espoir revint et leur gésier se mit à frémir d'excitation. Chaque battement d'aile qui les rapprochait du Grand Arbre de Ga'Hoole les éloignait d'autant de la Pension Saint-Ægolius pour chouettes orphelines. Une prison, oui! On n'y apprenait rien du tout. Les oisillons n'y étaient même pas autorisés à poser des questions. Une infraction à cette règle entraînait les châtiments les plus lourds. Une fois, Soren avait osé formuler une question innocente. Pour le punir, on avait arraché ses rémiges et il s'était réveillé de ce cauchemar les ailes couvertes de sang. Le savoir était considéré comme dangereux là-bas, et son acquisition était strictement interdite.

Bientôt, il commença à neiger. Les minuscules grains lumineux des étoiles se brouillèrent ; les contours de la lune se drapèrent d'un halo délicat et la ligne verte qui leur servait de fil conducteur se troubla. « Je ne dois pas la perdre. Ce serait un désastre ! » pensa Soren.

— Comment va-t-on repérer l'île ! se lamenta Spéléon. Regardez : tout est blanc maintenant !

— Où est le courant ? demanda Gylfie, inquiète.

Nerveuse, Mme Pittivier gigota dans le cou de Soren. « Si proches et pourtant si loin ! » Finalement l'île de Hoole était un peu pour les quatre chouettes comme le ciel pour Mme P. : un Par-Delà quasi inaccessible.

Ils naviguaient dans des conditions de plus en plus pénibles. Ils étaient accoutumés à voler la nuit avec les pupilles dilatées, les iris presque invisibles. Mais le ciel enneigé perturbait leurs habitudes. Ce voyage ne ressemblait pas non plus à un vol de jour. Un voile grisâtre uniforme recouvrait le paysage. Impossible de distinguer les terres des eaux qui les encerclaient. Survolaient-ils encore la mer ? Étaient-ils au-dessus de l'île de Hoole ? À moins que le vent ne leur ait joué un de ses mauvais tours ! Soren se souvint d'une leçon de Mme Pittivier :

elle avait dit qu'il fallait apprendre à voir avec le corps. Ces mots lui revenaient sans cesse... Oui ! Ses oreilles ! Il pouvait tirer avantage de son ouïe excellente, pour peu qu'il soit dans la position adéquate.

— Laisse-moi passer devant, Perce-Neige ! J'entendrai mieux. Tenez bon, madame P., je vais être obligé de tourner la tête dans tous les sens.

Les chouettes savaient faire des choses prodigieuses avec leur cou. Elles possédaient des osselets dont la plupart des oiseaux étaient dépourvus, et qui leur permettaient de pivoter le crâne, à gauche comme à droite, sur une amplitude très supérieure à celle de n'importe quelle autre créature vivante. Elles pouvaient aussi le basculer en arrière, jusqu'à ce qu'il touche les épaules. Soren en fit la démonstration à Mme P., qui se trouva tout à coup face à face avec lui.

— Coucou ! lui lança-t-il. Ne vous tracassez pas : ce n'est qu'un balayage de routine.

Au bout de quelques minutes, il nota un subtil changement dans la nuit.

— Spéléon, tu te rappelles ta chanson sur les coyotes ?

— Oui.

— Tu peux la chanter le bec en bas ?

— Oui... Si je repère le bas avec toute cette neige !

Il s'exécuta bientôt de sa fine voix granuleuse de chouette des déserts. Pendant ce temps, Soren dosait ses mouvements de tête au millimètre.

— Je crois que nous sommes toujours au-dessus de l'eau, signala-t-il.

Lorsque Spéléon avait chanté au-dessus des terres, les sons avaient disparu dans la douce lande boisée. Maintenant, l'écho leur parvenait, net et sonnant.

Enfin le vent mourut et les flocons parurent s'immobiliser.

— Il vaut mieux que je reprenne ma place, dit Perce-Neige.

Soren ne contesta pas ; Perce-Neige avait raison. La neige, en s'évaporant, se transformait en un brouillard dense. Le monde était enveloppé de brume. La vue de Perce-Neige devenait très précieuse dans ces moments où les frontières étaient floues, les contours inexistants. Il en avait d'ailleurs tiré son nom. C'était l'heure idéale pour une chouette lapone, amatrice de conditions extrêmes et de camaïeux de gris, capable de déceler l'invisible. Lui seul pourrait discerner le courant.

Les chouettes le traquèrent pendant des heures, en vain. L'épuisement gagna Gylfie. Spéléon recommença à se plaindre de son aile blessée. Pour couronner le tout, le vent se leva à nouveau et, cette fois, il soufflait dans une direction des plus défavorables.

— Je n'y crois pas. Il n'a pas pu se volatiliser. Les macareux avaient promis qu'il nous conduirait droit à l'île, marmonna Soren.

— Comment leur faire confiance ? hulula Perce-Neige. Ils reconnaissent eux-mêmes qu'ils sont stupides.

— Tu exagères, ils ne sont pas si bêtes. On va retrouver cette fichue ligne verte.

— Il n'y a même pas d'endroit ici où s'arrêter pour se reposer, soupira Gylfie.

— Il faut rebrousser chemin, affirma Perce-Neige.

— Pour aller où ? Pas vers les Lacs, je vous préviens ! râla Soren.

— Vers la terre sèche la plus proche, répliqua Perce-Neige. Si c'est les Monts-Becs, alors va pour les Monts-Becs.

— Non ! cria Soren, résolu. Bon, je vais raser l'eau.

— C'est trop dangereux, intervint Spéléon. Les rafales soulèvent de gros rouleaux. Tu pourrais être happé et aspiré jusqu'au fond. Pardon, mais je doute que tu sois aussi bon nageur que les macareux.

— Je vais faire attention. Madame P., vous pouvez monter sur Perce-Neige, si vous voulez.

— Non, trésor. Je reste avec toi, je n'ai pas peur.

— Bien, fit-il en amorçant une embardée.

Les crêtes des vagues crachaient des quantités d'écume qui se confondaient avec la neige dans la tempête. Comment voir un courant dans une telle confusion ? Il descendit plus bas. Toujours rien. Et si là-haut ses compagnons modifiaient leur trajectoire ? S'ils renonçaient ? Pourrait-il vraiment le leur reprocher ? Son gésier se glaça d'effroi. Braver les éléments seul avec Mme P., abandonné de ses copains, n'était pas une perspective très réjouissante.

Soudain, il perçut un léger frémissement. En silence, il contracta et agrandit ses pupilles. Sans résultat. Oh ! il aurait tant voulu que Perce-Neige soit à ses côtés !

— Je suis là, Soren !

— Perce-Neige ! Tu m'as suivi ?

— Ouais... tu parles d'une boulette...

Ce dernier scruta le voile épais qui bouchait l'horizon, allongeant puis raccourcissant sa focale pour voir tantôt de près, tantôt de loin. Dans les profondeurs impénétrables, il réussit l'exploit de distinguer deux taches plus blanches que le reste.

— Venez, jeunes gens. Vous êtes pile au-dessus du courant, même si, par un temps pareil, on peut à peine le deviner. Bienvenue à l'île de Hoole !

Deux énormes harfangs avaient surgi de la nuit. Ils étaient d'un blanc si pur qu'en comparaison la neige était terne et grise.

— Je suis Boron et voici ma compagne, Barrane.

— Le roi et la reine de Hoole... susurra Perce-Neige.

Spéléon et Gylfie les rejoignirent, exténués.

— En effet, dit Barrane. Cependant nous préférons être appelés professeurs, ou « Rybs ». Ce mot désigne un enseignant, mâle ou femelle, et il signifie également « érudition ».

— Les titres ne nous importent guère, rit Boron.

— Vous êtes sortis à notre rencontre? les interrogea Soren.

— Bien sûr. Rassurez-vous: vous avez fait le plus dur. Laissez-nous vous conduire jusqu'à l'Arbre. Il n'est plus très loin.

Le brouillard semblait se disperser au contact des corps éblouissants de Boron et Barrane. Un noir de jais inonda le ciel et les étoiles resplendirent à nouveau. La vaste mer était piquée de mouchetures argentées sous la lune. Puis des branches noueuses d'une dimension stupéfiante se déployèrent dans la nuit. Droit devant eux se dressait le Grand Arbre de Ga'Hoole.

— Nous y sommes, madame Pittivier! Nous y sommes! murmura Soren.

— Je sais, chéri. Je le sens!

Les quatre voyageurs, précédés de Boron et Barrane, se frayèrent une voie à travers la ramure, jusqu'au centre de l'arbre. Là, ils découvrirent une ouverture dans le tronc. Deux grands ducs écartèrent des rideaux de mousse avec leurs becs pour laisser passer la petite bande. Le creux dans lequel ils atterrirent était non seulement gigantesque mais différent de toutes les cavités que Soren avait jamais visitées. En pleine nuit, de la lumière y brillait grâce à de curieux objets vacillants.

— Je vois que vous avez remarqué nos bougies, leur dit Boron. À Hoole, nous avons percé les mystères du feu. Nous savons comment le capturer et l'apprivoiser à diverses fins utiles. Vous apprendrez tout ceci en temps voulu. Et qui sait ? L'un de vous deviendra peut-être un charbonnier ?

— Un quoi ? fit Soren.

— Un charbonnier, celui qui procure les charbons. C'est un métier très honorable. Il y a de nombreux talents à acquérir ici et nous serons là pour vous aider. Permettez-moi de vous présenter vos rybs.

Sur ces mots, il tendit les ailes vers des saillies alignées en hauteur, qui formaient comme une galerie. Soren, Perce-Neige, Gylfie et Spéléon en eurent le souffle coupé : des chouettes et des hiboux de toutes les espèces imaginables – des chouettes des terriers aux effraies, des chevêchettes communes aux chevêchettes elfes, des petits ducs aux effraies ombrées, des grands ducs aux harfangs – étaient réunis. Des dizaines de paires d'yeux jaunes, noirs ou ambrés adressèrent des clignements amicaux et intrigués aux cinq arrivants.

— Bienvenue, reprit Barrane. Bienvenue au Grand Arbre de Ga'Hoole. Un premier périple s'achève pour vous...

« Premier ? Si elle savait... », pensa Soren. Le discours de la reine fut alors brutalement interrompu par une succession de coups de gong retentissants. L'Arbre entier se mit à trembler et un grand duc trompeta dans la galerie :

— Squads, à vos positions !

Les habitants de l'Arbre se parèrent aussitôt de serres et de casques de combat. En quelques secondes, le creux s'illumina tandis que les flammes fragiles des bougies se reflétaient sur les surfaces polies des armures.

— Oh ! une bataille ! Vite, attrapons des armes ! s'écria Perce-Neige en sautillant partout et en agitant les ailes.

Une femelle hibou des marais, rondelette, les aborda en se dandinant et fixa Perce-Neige de son regard doré.

— Pas si vite, jeune mâle, gronda-t-elle.

— Où on se bat ?

— Par-delà le Par-Delà. Et ce n'est sûrement pas ta

place, ni la tienne, ajouta-t-elle en se tournant vers Gylfie, ni la tienne, ni la tienne.

Elle ponctua sa phrase d'un hochement de tête à l'intention de chacun des compagnons, puis elle aperçut Mme P.

— Mais... qui êtes-vous ?

— Mme Horace Pittivier, serpent domestique. À votre service, madame. Je peux fournir de sérieuses références.

— Je vois. Venez avec moi.

— Et le combat ? grogna Perce-Neige en trépignant.

— Oh, ce n'est rien qu'un accrochage à la frontière entre le Pays du Soleil d'Argent et par-delà le Par-Delà.

8
Une aube nouvelle

La dame des marais, prénommée Matrone, les accompagna à l'intérieur du tronc massif, qui était en réalité un dédale de couloirs de tailles variées, dont pas un n'était rectiligne. De chaque côté se succédaient des creux plus ou moins grands. Certains, à l'évidence, servaient de dortoirs, d'autres de salles d'étude, et d'autres encore de magasin où ils entreposaient stocks et provisions. En jetant un coup d'œil, Soren entrevit notamment des piles entières de ces étranges objets scintillants que Boron appelait des bougies. Pour changer de niveau dans l'Arbre, il suffisait de remonter certains passages jusqu'au bout et de s'envoler par des ouvertures percées à cet effet. Apparemment, les chambres étaient au sommet, plusieurs espaces de réunion de dimensions diverses se trouvaient dessous, ainsi que les cuisines, d'où s'échappaient des odeurs appétissantes. Sur le trajet, ils découvrirent aussi des endroits où de petits groupes d'oiseaux se rassemblaient pour bavarder, installés sur des branches à l'extérieur, ou sur des perchoirs artificiels.

— Jeunes gens, je veux que vous vous teniez tranquilles dans un coin. Des chouettes blessées vont affluer et je dois organiser les soins. Je vais d'abord vous montrer votre chambre.

Alors qu'ils volaient vers la cime, ils croisèrent un second hibou des marais qui portait quelque chose de touffu et pelucheux dans ses serres.

— Matrone, nous allons avoir besoin de mousse et de duvet. Les équipes de sauvetage apportent deux oisillons supplémentaires. Évacuation de nid, cette fois-ci.

— Oh ! non ! les pauvres.

— Qu'est-ce qui se passe ? s'enquit Soren.

— Un nid a été détruit accidentellement, ça peut arriver, lui répondit une jeune chouette tachetée en les rejoignant sur une branche à mi-hauteur.

— Otulissa, te voilà ! Peux-tu mener les nouveaux jusqu'au creux qu'on a nettoyé hier ?

— Oui, Matrone.

— Et demande à Cordon-Bleu s'il lui reste du thé et des gâteaux. Ils ont l'air à moitié affamés.

— Très bien.

Matrone partie, les quatre copains entreprirent de cuisiner Otulissa :

— Il y a la guerre dehors ? l'interrogea Perce-Neige.

— Non ! Rien que quelques échauffourées dans les territoires frontaliers.

— Entre les troupes de Hoole et celles de Saint-Ægo ? suggéra Soren. Nous savons tout de Saint-Ægo, Gylfie et moi : on s'en est évadés.

— On a même massacré leurs deux meilleurs lieutenants pendant qu'ils traquaient Spéléon, ajouta Perce-Neige en désignant la chouette des terriers. On veut se battre.

La chouette tachetée cligna des yeux.

— On est au bon endroit pour ça, non ? insista-t-il en s'approchant d'elle. Le Grand Arbre de Ga'Hoole...

— ... où chaque nuit, un ordre de chevaliers se dresse dans les ténèbres pour accomplir de nobles exploits, murmura Soren, tremblant d'incertitude. C'est bien ici, n'est-ce pas ?

— Évidemment, rétorqua Otulissa.

— Alors, qu'on nous fournisse des serres de combat, on est prêts ! s'impatienta Perce-Neige.

— Parce que vous vous êtes échappés et que vous avez réglé leur compte à deux écervelés, vous vous croyez prêts ?

— On a liquidé un lynx aussi, précisa Soren.

— Et des corbeaux, intervint Spéléon. On ne les a pas vraiment tués, mais on les a chassés.

Gylfie, qui jusqu'alors avait gardé le silence, fit un pas en avant.

— Selon toi, nous ne serions pas assez préparés... après tout ce qu'on a fait ?

— Exactement. Il n'y a rien de très glorieux à assassiner des crapules dans le désert.

La chouette tachetée se grandit, toisa Gylfie et poursuivit sur un ton hautain :

— Votre ardeur n'a pas encore été tempérée par la bataille. Je parie que vous n'avez pas la moindre notion de stratégie. Et si ça se trouve, vous ne savez pas voler avec des serres de combat. Je suis ici depuis bien plus longtemps que vous et je ne suis pas encore attachée à un squad.

— C'est quoi, un squad ? la questionna Soren.

— Une petite équipe de chouettes à qui on enseigne des compétences spécifiques et utiles au Grand Arbre.

— Utiles en cas de bataille ? s'obstina Perce-Neige.

— Pas seulement. Il n'y a pas que ça dans la vie ! Chaque squad a son... comment dirais-je... sa personnalité. L'équipe de navigation a une certaine élégance – ses membres sont magnifiques en vol –, tout comme les spécialistes du sauvetage. Ces derniers, bien sûr, étant un peu moins raffinés. Les experts en météo et les charbonniers sont franchement rustres. Mais ils ont tous un point commun, souligna-t-elle en posant un regard intense sur Perce-Neige : leur courage exemplaire. Ils sont prêts à voler et à se battre jusqu'à la mort.

Perce-Neige, qui s'y voyait déjà, se gonfla d'orgueil, tandis que Soren, à l'inverse, se repliait sur lui-même tant il avait peur. Serait-il à la hauteur ? Il le fallait. Avec ses amis auprès de lui, il était capable du meilleur. Ensemble, ils étaient invincibles. Ils l'avaient prouvé de nombreuses fois.

— Est-ce qu'on fera tous partie du même squad ? demanda-t-il.

— J'en doute.

— Mais nous formons un groupe, dit-il en s'efforçant de ne pas geindre.

— Cela n'a plus d'importance. Dorénavant, vous appartenez à une communauté beaucoup plus large. Je dois y aller maintenant.

— Le devoir t'appelle, je suppose, lâcha Gylfie avec une pointe d'ironie.

— En effet.

Après avoir jeté un ultime coup d'œil dédaigneux à la chevêchette, Otulissa quitta le creux. Soren crut que son amie allait cracher sur ses pas.

— Je la déteste, grommela Perce-Neige.

— Moi aussi. Vous avez vu comment elle m'a regardée ? Quelle peste ! Pour qui elle se prend ? Je ne serais pas étonnée qu'elle soit du style à faire des blagues stupides sur la taille de certains.

Comme la plupart des chevêchettes, Gylfie était un brin chatouilleuse lorsqu'il était question de stature. Sa grand-mère était l'une des fondatrices de l'ACPT, l'Association des Chouettes de Petite Taille, qui luttait contre l'humour cruel et de mauvais goût visant les espèces les plus menues.

— Laissez passer ! Laissez passer !

Deux grands ducs solidement charpentés se dirigeaient vers les infirmières à vive allure. Ils portaient une civière sur laquelle un blessé était étendu. Son casque était enfoncé de travers et une de ses ailes était tordue.

À travers la cloison, Soren crut entendre les pleurs d'un poussin et une voix d'adulte qui disait : « Allons, calme-toi, là. » Il se faufila dans le corridor. Évidemment, il ressemblait aux autres, mais en dépit du risque de s'égarer, Soren décida de s'y aventurer. Le creux voisin avait, comme la plupart, deux entrées : une par l'extérieur et une par l'intérieur, de sorte qu'on pouvait y pénétrer en volant ou en marchant depuis le couloir. Matrone s'y affairait : elle s'arrachait du duvet de la poitrine pour border l'oisillon.

— Allons, trésor, nous savons que tu as fait de ton mieux.

— Que vont dire papa et maman ?

Le sang de Soren ne fit qu'un tour. Églantine ! Pouvait-il s'agir d'Églantine ?

— Tu as été une brave petite chevêchette, répondit Matrone.

La déception arracha un soupir à Soren.

— Que fabriques-tu ici, toi ? Ne reste pas planté là, rends-toi utile.

Soren obéit et se coula dans l'alcôve. La petite chouette était presque aussi minuscule que Gylfie. Elle était belle, et son plumage touffu, mais elle empestait la suie et quelques-unes de ses rémiges étaient roussies.

— Rappelle-moi ton prénom, chérie ? lui demanda Matrone en se penchant sur elle.

— Primevère.

— Ah, oui. Tu vois, Soren, Primevère a perdu son nid.

— Mon arbre entier, pleurnicha celle-ci.

— Oui, hélas. Ses parents sont allés se battre sur les territoires frontaliers pendant qu'elle était au nid.

— J'étais censée m'occuper des œufs. En réalité, maman était juste sortie chasser et elle devait revenir d'une seconde à l'autre. Et... Et un feu de forêt... Je n'aurais jamais pensé qu'il atteindrait notre arbre... J'ai tenté de sauver un des œufs, mais comme je ne sais pas voler depuis très longtemps, j'ai... j'ai...

La malheureuse se mit à sangloter à chaudes larmes, pile à l'instant où on apportait des remontants.

— Un peu de tisane ? proposa une chouette rayée plutôt trapue.

— Volontiers. Une infusion de symphorine nous fera le plus grand bien.

— J'ai lâché l'œuf. Je ne mérite pas de viiiiiiiiivre.

Primevère émit un long chuintement plaintif.

— Ne dis pas une chose pareille ! s'insurgea Soren. Bien sûr que si ! Toutes les chouettes méritent de vivre. C'est d'ailleurs pour défendre cette idée que je suis venu ici avec mes amis.

Matrone s'arrêta, inclina la tête et étudia la jeune chouette effraie. Commençait-il à comprendre ? À saisir le véritable sens de sa présence sur l'île de Hoole ? Elle le laissa consoler la chevêchette et commanda une tasse supplémentaire, ainsi qu'une part de tarte.

Soren passa la soirée en compagnie de Primevère. Elle était parfois fiévreuse et sombrait dans le délire. Elle était persuadée d'être responsable de la mort d'un petit frère. Elle répétait qu'elle aurait voulu l'appeler Osgood. Dans ses brefs moments de lucidité, elle clignait des paupières et disait à Soren :

— Mais maman ? Et papa ? Comment vont-ils réagir en découvrant notre forêt brûlée, notre arbre réduit en cendres ? Est-ce qu'ils vont me chercher ?

Soren ne savait pas quoi répondre. Il s'était posé tant de questions lui-même au sujet de ses parents. Peu avant l'aurore, tandis que Primevère était profondément endormie, il retourna dans sa chambre. Il déambula au cœur de l'arbre, se trompant de chemin plus d'une fois, arpentant des corridors inconnus. Alors qu'il remontait une galerie particulièrement tortueuse, il tomba sur une vieille chouette tachetée.

— Tiens ! Une nouvelle recrue ! Tu étais dans ce groupe qui est arrivé hier des Fjords ? hulula-t-elle avec bonté.

— Euh, oui... Sauf que nous ne venons pas des Fjords. On s'y est perdus à cause du vent. On est partis des Monts-Becs en réalité, mais j'ignore comment...

— Oh ! miséricorde... Les Monts-Becs ! Il vaut mieux avoir le gésier bien accroché quand on se hasarde dans cette région.

Soren la dévisagea avec des yeux ronds. Qu'entendait-elle par là ?

—Je suis Strix Struma, la ryb de navigation. Sans doute as-tu des progrès à faire dans cette matière ? Nous verrons cela. L'aube va bientôt poindre. Je te suggère de gagner ta chambre en hâte. Si vous êtes sages, la harpe de Miss Plonk jouera une jolie mélodie pour vous aider à dormir. Elle a un timbre magnifique.

— Ça fait quel bruit, une harpe ?

Soren se souvenait des abominables chansons de Saint-Ægo et espérait qu'il n'y aurait rien de tel dans le Grand Arbre.

— Eh bien... Difficile à décrire. Le mieux, c'est que tu l'écoutes attentivement tout à l'heure.

* * *

Quand il retrouva ses copains, ceux-ci sirotaient chacun une infusion.

— C'est génial, Soren, s'écria Gylfie. Des serpents apportent le thé sur leur dos !

—Je crois qu'on va m'offrir une place, Soren. Je vais pouvoir servir !

Mme P. rayonnait de bonheur. Tout le monde semblait très satisfait, à l'exception de Perce-Neige. Il ronchonnait en gonflant ses plumes :

— Je n'ai pas tué les deux fripouilles de Saint-Ægo, affronté des corbeaux et tranché la gorge d'un lynx pour rester assis sur mon derrière à boire de la tisane.

— Qu'est-ce que tu y peux ? le raisonna Gylfie.

— Je crois qu'une discussion avec Boron et Barrane s'impose. J'ai l'impression qu'ils ne mesurent pas le danger. Cette altercation à la frontière n'a aucun rapport avec Saint-Ægo. Vous vous rappelez ce qu'a dit Mademoiselle la Crâneuse ? Ils ne se rendent pas compte de ce qui les attend. Nous, si ! Pas vrai ?

— Tu veux parler du « Si seulement » ? murmura Spéléon.

Ils n'avaient jamais discuté de ce qui se cachait derrière ces mots, mais la révélation de la chouette rayée était sans ambiguïté : des prédateurs bien plus cruels que les hiboux de Saint-Ægo erraient dans la nature.

— Oui, bredouilla Soren, hésitant. Peut-être devrions-nous tout raconter au roi et à la reine. Mais pas maintenant. Le jour s'est levé, c'est l'heure de dormir.

Le creux était parsemé de houppes de duvet soyeux et de mousse moelleuse. Soren se tapit dans un coin proche de la lucarne pour admirer l'aurore. Les dernières étoiles clignotèrent faiblement avant de s'éteindre et un rose tendre envahit le ciel. Le Grand Arbre de Ga'Hoole tendait ses immenses membres noueux comme pour embrasser l'aube nouvelle.

— Quand je sens ce duvet, je repense à maman, glissa-t-il à Mme P.

— Oui, chéri, soupira-t-elle, en s'enroulant élégamment à côté de lui.

Tandis que chacun s'installait, les sons les plus harmonieux, les plus surnaturels, se répandirent à chaque étage de l'arbre, et une douce voix se mit à chanter :

Le rideau de la nuit s'est levé, la lune s'est éclipsée,
Les étoiles ont déserté les cieux fanés
Et une pâle lumière annonce l'arrivée du matin.
Repliez vos ailes, n'ayez crainte de vous endormir,
Glaucis veille sur votre sommeil et sur vos rêves.
Le crépuscule est encore lointain
Mais l'obscurité reviendra vous envelopper.

Ses flots inonderont peu à peu les champs,
Les fleurs sauvages l'une après l'autre refermeront leurs corolles
Tandis que vous vous réveillerez.
Le Grand Arbre est votre foyer,
Au creux de son tronc protecteur vous apprendrez la liberté.
Oui, dormez sans crainte, oisillons :
Glaucis veille sur vos rêves.

Soren se sentait merveilleusement apaisé.

— Spéléon, Soren, Gylf', vous dormez? chuchota Perce-Neige.

— Presque, répondirent les garçons.

— D'après vous, il faudra poireauter combien de temps pour avoir des serres de combat?

— Aucune idée. Ne te bile pas trop, le rassura Soren d'une voix somnolente. Bon potron-minet.

— Bon potron-minet, Perce-Neige, dit Spéléon.

— Bon potron-minet, Soren, bâilla Gylfie.

— Bon potron-minet, Gylf', fit Soren. Et bon potron-minet à vous, Madame Pittivier.

Mais Mme Pittivier était déjà endormie.

9
Le parlement des chouettes

Le lendemain, les quatre copains furent convoqués dans l'antichambre du parlement, où ils patientèrent avant d'être admis pour une entrevue avec Boron et Barrane.

— On débat de sujets importants là-dedans, jeunes gens, leur signala la chouette de garde, qui avait la voix cuivrée d'un nyctale boréal.

— Nous ne serons pas longs, répliqua Gylfie.

«J'espère bien!» songea Soren. Il n'était pas tranquille. Les trois autres l'avaient élu porte-parole du groupe.

Une femelle passa la tête dans l'encadrement de la porte.

— Vous pouvez entrer. Mais soyez sages et attendez votre tour pour parler.

Elle leur indiqua leur perchoir, puis se retira. Soren étudia le creux. Il n'était pas très grand – il était même beaucoup plus petit que celui dans lequel ils avaient été reçus à leur arrivée. Il contenait, bien entendu, des bougies, ainsi qu'une longue branche blanche, probablement en bouleau, qui avait été pliée en demi-lune. Les chouettes du parlement étaient alignées sur cette dernière. Soren n'en compta que douze. Il reconnut la vieille Strix Struma, la chouette tachetée qu'il avait rencontrée la veille. Elle se tenait perchée à côté d'un hibou grand duc, dont le plumage d'une couleur rouille inhabituelle contrastait avec ses surprenantes serres noires. Ensuite, il y avait un petit duc à moustaches, âgé et décrépi, qui présentait une des pires mutilations que Soren ait jamais vues – il n'en avait pas croisé tant que ça dans sa vie, remarquez. En effet, le hibou n'avait que trois griffes à un pied. Cet ancien arborait en outre une longue barbe aux poils durs, et le comble, c'est qu'il avait une coquetterie dans l'œil et une entaille au bec.

— On ne peut pas dire qu'il ait fière allure, chuchota Gylfie. Vous avez remarqué comme il louche ? Et visez un peu sa patte ! Enfin, ce qu'il en reste...

Soren ne put retenir une grimace de dégoût, et juste à

cet instant, le petit duc posa sur lui son regard bigleux. Il crut mourir de trouille.

— Donc, Elvanryb, dit Boron en se tournant vers une chouette lapone, selon vous, il faudrait que les sauveteurs s'associent aux missions des charbonniers ?

— Pas systématiquement. Ce ne serait nécessaire qu'à proximité des zones de combat. Les parents sont souvent dans la mêlée, au lieu d'être auprès de leur couvée si un feu éclate. Cette nuit, par exemple, on a dû ramasser une chevêchette et un petit nyctale. On se serait volontiers dispensés de cette surcharge, croyez-moi. Transporter ensemble des charbons et des oisillons blessés n'est pas une partie de plaisir. On ne pouvait quand même pas les lâcher dans le seau à braises. Quant à ceux que nous avons sûrement laissés derrière, je préfère éviter d'y penser.

Le petit duc à moustaches leva sa patte difforme.

— Oui, Ezylryb ? fit Boron.

— J'ai une question pour Bubo, dit celui-ci d'une voix caverneuse. Crois-tu que cet incendie était dû à des causes naturelles ou a-t-on encore affaire à des actes de malveillance ?

— Difficile à dire, monsieur. Les solitaires sont des

cibles idéales et ce ne serait pas la première fois qu'un raid chez l'un d'eux provoque un feu.

— Hmm, marmotta le hibou en se grattant le crâne avec sa griffe du milieu.

— Sujet suivant à l'ordre du jour : la famine à Ambala, annonça Boron.

Ambala ! Soren et Gylfie échangèrent un coup d'œil discret. C'était le royaume de leur amie – et idole – Hortense ! Quand ils avaient fait sa connaissance à Saint-Ægo, ils l'avaient d'abord prise pour le poussin le plus déboulуné de la pension. Le déboulunage était un des procédés cruels employés par Crocus et Hulora pour asservir les oisillons. En les forçant à dormir sous les rayons éblouissants de la pleine lune, elles détruisaient leur volonté, leur personnalité et les transformaient en esclaves dociles, dépourvus de la moindre initiative. Soren et Gylfie avaient échafaudé un plan pour tromper les surveillants et éviter de s'exposer à la violence de l'astre. C'est alors qu'ils avaient découvert qu'Hortense en faisait autant ! En réalité, elle était une infiltrée et, depuis des semaines, elle dérobait des œufs volés par les patrouilles pour les donner à ses complices à l'extérieur.

Malheureusement, elle avait fini par être démasquée et tuée. Grâce à ses exploits, Hortense était désormais un personnage légendaire à Ambala.

— La production d'œufs y a chuté dans des proportions inquiétantes, annonça un membre du parlement. On pense que ce désastre pourrait découler d'une épidémie parmi les rongeurs et, par conséquent, d'une pénurie de nourriture.

Mais non ! Les souris et les campagnols n'y étaient pour rien. C'étaient les patrouilles de Saint-Ægo, les responsables. Voilà une information qu'ils pouvaient partager. Ainsi convaincraient-ils Boron et Barrane qu'ils pouvaient réellement leur être utiles.

— Nous allons mener l'enquête, décida le roi. À présent, nous allons écouter ce que nos nouveaux pensionnaires ont à nous dire.

Soren, qui n'était pas préparé à s'exprimer devant tous ces adultes, ravala sa salive.

— Qui veut parler en premier ?

Comme une seule chouette, Perce-Neige, Spéléon et Gylfie pivotèrent vers Soren.

— Monte, petit.

Boron lui montra un perchoir au centre du demi-cercle. « Oh ! Grand Glaucis ! Je ne veux pas y aller... » Il ne serait plus qu'à une longueur d'aile d'Ezylryb et de sa patte mutilée. Il était beaucoup mieux au milieu de ses amis, en contrebas. Il eut soudain d'horribles sensations de nausée. Il ne manquerait plus qu'il vomisse. Bonjour la classe...

— Euh... Je m'appelle Soren. Je viens de la forêt de Tyto. Je... euh...

Avec Gylfie, ils avaient mis au point un discours qui resituait les événements conduisant à leur enlèvement et à leur séquestration à Saint-Ægo. Gylfie lui avait conseillé de ne pas trop entrer dans les détails, en particulier au sujet de Kludd : « Commencer par une histoire de fratricide, ce n'est pas l'idéal. » Bien sûr, elle dut lui expliquer que le mot « fratricide » désignait le fait de tuer son frère. Une fois sa lanterne éclairée, il était tombé d'accord avec elle. Il n'avait aucune envie que les chouettes de Ga'Hoole s'imaginent qu'il était issu d'une famille d'assassins. Kludd était le seul, après tout.

— J'ai été kidnappé par une patrouille de Saint-Ægo. C'est là-bas que j'ai rencontré Gylfie.

Il eut du mal au départ à ne pas lorgner le moignon d'Ezylryb, mais au fur et à mesure il se détendit. Les adultes étaient attentifs, à défaut de paraître impressionnés. Il termina son exposé en évoquant Hortense et en expliquant que ce n'était sûrement pas la famine qui était la cause de la faible quantité d'œufs recensés à Ambala.

— C'est tout? fit Barrane lorsqu'il sembla en avoir terminé.

— Comment ça?

— Formule ta requête.

— Tous les quatre, nous formons une bande. On a volé ensemble, on s'est battus ensemble et on a survécu à de nombreux périls grâce à notre solidarité. Notre expérience nous a enseigné qu'un immense danger menaçait les chouettes; aucun royaume n'est à l'abri. Nous voulons combattre ce mal et devenir des chevaliers de votre ordre.

Il aperçut Ezylryb étouffer un bâillement et croquer dans ce qui ressemblait à une chenille séchée.

— Nous croyons être en mesure de vous apporter certaines informations. Nous avons beaucoup à vous offrir, conclut-il.

— J'en suis convaincu, dit Boron. Chaque élément présent dans cet Arbre a des connaissances précieuses et, durant votre entraînement, vous apprendrez à faire fructifier vos qualités. Après une instruction convenable, vous serez sélectionnés dans un squad et votre niveau de compétence s'élèvera encore d'un cran. Sachez qu'il est hautement improbable que vous vous retrouviez tous dans la même équipe, je regrette. Songez que si chacun de vous acquiert des savoir-faire différents, votre groupe n'en sera que plus fort.

Sans qu'il eût besoin de se retourner, Soren sut que Perce-Neige s'agitait derrière lui. Il sentit aussi que le vieux hibou, malgré ses bâillements et son grignotage intempestif, l'observait avec application. Le mince rai doré qui filtrait de l'œil bigleux le pétrifiait. Il n'en menait pas plus large qu'une souris filant à travers bois avec un prédateur à ses trousses. Ce regard était si pénétrant, si perçant. En totale contradiction avec l'indifférence, voire l'ennui profond qu'avait affiché Ezylryb pendant l'intervention de la jeune effraie.

— Votre formation prendra du temps, poursuivait Boron, mais vous n'en manquerez pas dans les semaines à venir. Votre patience sera mise à rude épreuve et plus encore, votre persévérance. Cette persévérance, jeunes gens, vous la puiserez dans vos cœurs et dans vos gésiers. La noblesse des chouettes que vous avez devant vous n'est pas seulement une qualité innée, ni l'aboutissement d'une série d'actions d'éclat. Elle ne consiste pas à manier avec brio des serres de combat, à voler à travers des tourbillons de braises, ni même à réparer les torts, élever les malheureux, vaincre les orgueilleux ou terrasser les tyrans. Non, elle se trouve dans les cœurs résolus, les gésiers capables de résister aux mirages, les esprits assez généreux pour compatir à la douleur de leurs semblables. Je sais que la nuit dernière une jeune chouette est restée au chevet d'une chevêchette qui venait de perdre son arbre, son nid, sa famille et un œuf, faisant preuve à cette occasion de gentillesse et de compréhension. Voilà de quoi sont faits les cœurs sublimes des chevaliers de Ga'Hoole. Comme nous vous l'avons indiqué à votre arrivée, un périple vient de s'achever et un autre va débuter. Demain soir, vous commencerez l'entraînement.

10

Le coup de cafard de Perce-Neige

L'aube privait les chouettes de leurs activités favorites. Le jour ne leur servait qu'à dormir et à se préparer à la vie nocturne. Et pour certains, il durait une éternité. En particulier pour des jeunes chouettes qui attendaient le début de leur entraînement en piaffant d'impatience.

Aux environs de midi, alors que le creux était encore ensommeillé, Soren s'éveilla en sursaut. Il sentit quelque chose d'anormal. Il n'était pas en proie à une terreur panique ; non, c'était plus un léger frémissement dans le gésier ou un faible pincement au cœur. Il ouvrit les paupières. Une douce lueur laiteuse filtrait dans le creux, mais elle n'éclairait que deux chouettes. Perce-Neige s'était sauvé !

Soren cligna des yeux. Où avait-il fichu le camp ? En un battement d'aile, il atteignit le rebord du creux. La ramure sombre du Grand Arbre de Ga'Hoole ressortait nettement sur un morne ciel hivernal. Une ombre attira son attention : une longue silhouette s'étirait entre les branches noueuses et épaisses. On aurait dit un nuage noir planant à ras de terre. La chouette lapone était perchée sur une branche bien cachée. Il la rejoignit.

— Qu'est-ce que tu fais ?

— Je réfléchis.

Bon ou mauvais signe ? Perce-Neige était d'ordinaire une chouette d'action, qui fonctionnait à l'instinct. Il n'était pas stupide pour autant ; simplement, son comportement était dicté par une solide intuition, aiguisée par l'expérience, plus que par le raisonnement.

— J'hésite à partir, ajouta-t-il d'une voix plate.

— Partir ? répéta Soren, sonné. Et le groupe ?

— On n'est plus un groupe, c'est Boron et Barrane qui l'ont dit.

— Ce ne sont pas les termes qu'ils ont employés.

— Non, mais c'était le message. Ils ont affirmé qu'il était « hautement improbable » que deux d'entre nous soient choisis pour la même équipe, parce que ce n'était pas la façon de faire à Ga'Hoole. En d'autres termes, ils vont nous séparer.

— On ne sera séparés que lors des missions, et l'opération a pour but qu'on apprenne chacun des choses différentes et complémentaires. Ça ne signifie pas que le groupe soit mort, au contraire. Être un groupe, ce n'est pas rester perchés sans arrêt côte à côte ou voler ensemble tout le temps.

— C'est quoi, alors ?

Soren marqua une pause. La question était délicate et méritait une réponse mûrement pesée.

— Nous sommes unis dans nos têtes et dans nos cœurs, peu importe ce que disent les autres. On a signé un pacte. On ne reviendra jamais en arrière. Je le sais, tu le sais, nous le savons tous – eux aussi, ils le savent.

Les yeux de Perce-Neige se plissèrent et devinrent deux fentes dorées. « Il va encore me faire le coup de l'école de la vie ! » pensa Soren. Mais il se trompait.

— Pour beaucoup, je suis une chouette d'origine modeste, je n'ai reçu aucune éducation digne de ce nom.

Toute trace de vantardise avait disparu de sa voix ; son

plumage s'était même un peu dégonflé, si bien qu'il semblait légèrement plus petit que d'habitude.

— Je n'ai eu droit à aucune cérémonie : ni la cérémonie de l'Insecte, ni la cérémonie du Pelage. J'ignore beaucoup de choses, bien que je ne l'admette pas souvent. En revanche, il y a des tas de sujets que je maîtrise mieux que quiconque. La navigation dans le clair-obscur, par exemple. Je sais quelle veine il faut trancher à la gorge d'un lynx pour empêcher le cœur de continuer à pomper le sang. J'ai parcouru des montagnes, des déserts. J'ai rencontré des créatures qui volent, d'autres qui rampent ou sautent. J'ai vu toutes les sortes de griffes et de crocs qui existent sur terre. Je sais distinguer les poisons qui paralysent les serres de ceux qui figent les ailes. Je ne me laisse pas avoir par le faux horizon qu'on aperçoit dans la chaleur de l'été, quand l'air est chargé de rosée, contrairement à certaines chouettes qui piquent droit dans les orties. Et tu sais pourquoi ? Parce qu'au lieu de grandir choyé dans un creux, au milieu du duvet de ma maman, j'ai vécu seul dès mon éclosion. Je n'ai besoin de personne. C'est un don. Rien ne me retient de reprendre ma vie solitaire.

Le gésier de Soren se serra d'angoisse. Perce-Neige tourna lentement la tête.

— Mais je sais également que je suis meilleur avec toi, Gylfie et Spéléon à mes côtés. J'ai une famille maintenant. Et c'est grâce à toi, Soren. À toi seul.

La chouette lapone se tut un instant. La lumière ambrée de ses prunelles s'adoucit, prenant une nuance jaune pâle qui rappelait le nimbe du soleil couchant.

— Soren, tu es le cœur du groupe, celui qui fait circuler notre sang et qui nous maintient en vie. Tu as raison, rien ne pourra détruire notre lien. Nous sommes nos propres gardiens.

— Et peut-être qu'un jour nous deviendrons aussi des gardiens de la nuit, des chevaliers de Ga'Hoole ?

Sur ces mots, les deux amis s'en retournèrent dormir dans leur creux. Le soleil s'imposa enfin dans le ciel, avant de décliner peu à peu, chassé par le bleu terne du soir. Les nuages se teintèrent de violet ; l'horizon cracha des flammes aussi rouges que le sang du lynx. Puis les étoiles percèrent la voûte céleste, tandis que les chouettes de Ga'Hoole s'éveillaient.

11

Les Serres d'or

Soren était au Grand Arbre de Ga'Hoole depuis presque un mois, c'est-à-dire une trentaine de nuits ou un cycle lunaire complet. Oui, il savait compter à présent ! Il avait déjà appris des milliers de choses, mais les chiffres avaient une saveur particulière. Quand il était petit et que son père lui disait que leur sapin mesurait près de trente mètres de haut, il n'avait aucune idée de ce que cela représentait. Pas plus que les soixante-six jours pendant lesquels il devait attendre avant d'avoir toutes ses rémiges. Les nombres n'avaient pas de sens pour lui et il s'était promis qu'une fois sorti de l'horrible pension Saint-Ægo, il étudierait les mathématiques.

En un mois, il avait suivi des dizaines de leçons – des cours de technique de vol, des travaux pratiques avec les serres de combat, entre autres. Il s'était entraîné avec presque tous les squads, à part celui des charbonniers et celui de météorologie. Il ne se plaignait pas d'avoir échappé aux séances de ce dernier, qui était dirigé par le vieux hibou grisonnant, Ezylryb. Les membres de son équipe étaient considérés comme les plus acharnés et les plus braves de l'Arbre de Ga'Hoole. Ils devaient traverser toutes sortes de tempêtes, de blizzards, et même d'ouragans, afin de collecter des informations pour les troupes qui allaient au combat ou en mission de sauvetage. Ils rapportaient aussi des charbons ardents des forêts en feu, destinés à alimenter la forge où étaient fabriqués tant d'objets vitaux pour le Grand Arbre – des serres de combat aux marmites, en passant par les casseroles –, et qui permettait bien sûr l'usage des bougies.

À présent, par cette nuit noire et sans lune, il apprenait à naviguer auprès de Strix Struma.

— Nous allons commencer par quelques exercices très simples, avait-elle annoncé devant ses élèves alignés sur la principale branche de décollage de l'Arbre. Le Grand Glaucis va bientôt apparaître dans le ciel. Le Petit Raton laveur n'est, bien entendu, plus visible à cette saison. En revanche, une autre splendeur va se dévoiler ce soir pour la première fois de l'année : les Serres d'or. Cette constellation n'est pas ordinaire. Dans cette partie du monde, elle brille pendant tout l'été. Elle tire son nom de son motif : quatre griffes, longues, incurvées et pointues, formées par l'agencement de ses étoiles.

— Mais elles ne sont pas en or, pépia Primevère, la chevêchette que Soren avait réconfortée à son arrivée, et qui semblait guérie de ses brûlures.

— Non, c'est une illusion causée par des phénomènes atmosphériques, dont nous aurons l'occasion de reparler.

La patte de Strix Struma bougea soudain si vite que, pendant une fraction de seconde, ses élèves ne virent plus qu'une tache floue. Elle avait fendu l'air en sifflant et attrapé une chauve-souris au vol !

— Rien de tel qu'un goûter léger avant de décoller, déclara-t-elle en lui arrachant les ailes pour distribuer de savoureux morceaux à la classe. Il ne faut jamais se goinfrer avant une leçon, mais un bout de viande vous donnera assez d'énergie et d'entrain pour tenir jusqu'au matin. Prêts ?

— Oui, Strix Struma, répondirent-ils en chœur.

Strix Struma avait choisi de se dispenser du titre de

ryb et préférait se faire appeler par son nom. Cette chouette tachetée descendait d'une illustre lignée dont elle était très fière.

— Primevère, tu voleras derrière moi. Otulissa, comme tu as déjà suivi mes cours, tu prendras le flanc au vent. Gylfie, tu navigueras sous le vent. Quant à toi, Soren, tu te mets à l'arrière. Des questions?

Soren cligna des yeux. Malgré le temps, les traumatismes liés à Saint-Ægo ne s'étaient pas encore complètement effacés, et cette phrase toute simple, « Des questions? », ne cessait de l'étonner. Il remarqua également que Strix Struma employait un vocabulaire militaire, car elle avait été formée à commander un escadron en tant que lieutenant du flanc au vent. Elle avait même participé à la bataille de Petit Hoole.

— Alors c'est parti!

La grande chouette tachetée déploya ses ailes et décolla tandis que les quatre jeunes manœuvraient pour prendre leur position.

Soren volait quelques longueurs derrière le professeur pour éviter les remous provoqués par les mouvements de son immense queue. Il aurait bien aimé que Perce-

Neige et Spéléon soient avec eux, mais le premier était dans une classe de navigation d'un niveau supérieur, et le second devait améliorer la puissance de ses ailes avant d'espérer les rejoindre. Apparemment, Perce-Neige avait beaucoup appris à l'école de la vie car il avait été placé dans de nombreux cours avancés.

— Bien, écoutez-moi tous, ordonna Strix Struma de ses hululements profonds et vibrants, caractéristiques de la chouette tachetée mature. Dans la direction d'où souffle le vent, vous pouvez observer la première étoile des Serres d'or se lever.

— Ooooh! C'est si excitant! s'écria Otulissa, en essayant de son mieux d'imiter la voix de son professeur.

Elle y parviendrait un jour sans peine puisqu'elle était, elle aussi, une chouette tachetée. Mais, pour le moment, on aurait surtout dit une peste se pavanant dans ses plumes ébouriffées, une vraie lèche-pattes qui essayait toujours d'impressionner les rybs.

— Et c'est un tel honneur de voler côté au vent, Strix Struma, dans la grande tradition de votre noble famille.

Soren grimaça. Si Perce-Neige avait été là, il aurait fait exprès de cracher une pelote en plein vol, juste sous ses yeux. Gylfie pivota la tête et il lut sur son bec : « J'y crois pas ! »

— Tu as attrapé un rhume, Otulissa ? demanda Primevère. Tu as l'air un peu enrouée...

Soren faillit mourir de rire. Sacrée Primevère ! Le plus fort, c'est qu'elle était sincère. Elle était d'une naïveté désarmante. Gylfie disait d'elle : « Parfaitement candide ! L'innocence incarnée. » Souvent, il ne connaissait pas les expressions qu'employait son amie, mais cela ne l'empêchait pas de comprendre leur sens général : Primevère n'avait pas une once de malice, ni de méchanceté. Elle était confiante et s'imaginait toujours que ses camarades étaient animés des plus pures intentions. Inutile de préciser qu'elle n'avait jamais séjourné à Saint-Ægo...

Comme si elles s'étaient donné le mot, les étoiles jaillirent les unes après les autres et, bientôt, les gigantesques Serres d'or se dessinaient en relief dans la nuit.

— Nous allons suivre le tracé de chaque griffe, de sa base jusqu'à son bout pointu, expliqua Strix Struma.

Soren se trouvait maintenant derrière Primevère, qui passait son temps à tourner la tête. Les chevêchettes communes avaient pour particularité d'être dotées de deux taches sombres sur l'arrière du crâne, qui ressemblaient à s'y méprendre à une paire d'yeux. Et la pauvre effraie était complètement déboussolée.

— Déroutant, n'est-ce pas? fit Strix Struma, qui avait décroché de sa position. Tu es dans une situation difficile, mais c'est un excellent exercice.

— Oh! pardon, Soren! s'écria Primevère en tournant la tête une nouvelle fois. C'est à cause de mes fichus points? J'ai honte...

— Absurde, petite! hulula la ryb. Ne méprise jamais ces taches. Un jour, elles te rendront service. Nous devons tous apprendre à tirer parti des dons que Glaucis nous a offerts, et les chérir comme de véritables trésors. Allez, continue. Tu fais du bon travail. Je vais en profiter pour indiquer à Soren quelques trucs afin d'éviter d'être désorienté. J'ai volé derrière une chevêchette pendant des années et je suis devenue experte en la matière! La solution, c'est de fixer son regard en dessous des taches. Tu verras qu'elles ne tarderont pas à disparaître.

Elle avait raison. Soren appliqua son conseil et, en quelques secondes, sa gêne s'était envolée.

L'exercice se poursuivit toute la nuit. Puis, une à une, les étoiles de la constellation glissèrent derrière l'horizon et s'en allèrent vers un autre monde. L'heure avait sonné pour les chouettes de regagner leur maison.

12
Hukla, hukla, hop !

Le bavardage bruyant des poussins résonnait partout dans l'Arbre. Ils « gazouillaient ». Soren avait appris ce mot lors des quelques semaines où il avait grandi en famille dans le vieux sapin ; à l'époque, avec sa sœur Églantine et son frère Kludd, ils s'essayaient surtout à pousser ces cris râpeux et stridents auxquels on reconnaît les chouettes effraies. Le jour allait poindre et c'était en général une heure très animée sur l'île de Hoole. Les petits piaillaient tout leur soûl avant d'aller se reposer. Mais ce matin-là, à mesure que le ciel virait du noir ébène au gris perle, puis du gris perle au mauve pervenche, et enfin du mauve au rose tendre, Soren sombrait dans la mélancolie.

Il ne comprenait pas pourquoi il était si triste. Il avait autant de choses à raconter que les autres. Perce-Neige vint le voir en premier et, bien sûr, il put à peine en placer une.

— J'ai réalisé un piqué fantastique cette nuit, tout en puissance! En un battement de cils, j'étais au sol. Je crois que Barrane était vraiment impressionnée. À ton avis, j'ai une chance qu'elle me retienne pour le squad de sauvetage?

— Mais, Perce-Neige, si tu étais en classe de navigation, pourquoi tu t'entraînais au sauvetage?

— Elle enseigne aussi le sauvetage. Et c'est elle qui sélectionne les membres du squad.

Le recrutement préoccupait beaucoup les élèves. Le sujet courait sur tous les becs ces derniers temps. Otulissa déboula et s'immisça dans la conversation.

— Oh, si j'étais toi, je ne me ferais pas trop d'illusions, Perce-Neige. En principe, ils ne prennent que des chouettes issues de grandes familles. Les places sont pratiquement réservées aux Strix, comme en navigation.

— Oh! crottes de raton! gronda Bubo. Dégage le passage! Les serpents vont servir le thé. On a faim et on n'est sûrement pas d'humeur à écouter tes salades. Laisse donc nos ancêtres tranquilles. C'est ce qu'on fait ici et maintenant qui compte.

Bubo était ce mâle de teinte rouge sombre et aux serres noires que Soren avait vu au parlement. C'était un énorme hibou grand duc, dont les épaules étaient larges et les aigrettes de la taille de Gylfie. Son plumage était inhabituel pour un représentant de son espèce, qui tirait plutôt vers le gris-brun. Bubo, lui, avait la couleur des flammes – logique pour le forgeron du Grand Arbre ! Malgré les rumeurs sur ses origines modestes et ses manières frustes – le flux constant de gros mots qui s'écoulait de son bec en choquait plus d'un –, il était traité avec respect par la communauté du Grand Arbre de Ga'Hoole, car il dirigeait la forge avec talent et autorité. La découverte et la maîtrise du feu par les chouettes de Ga'Hoole avaient bluffé Soren à son arrivée.

— En rang ! En rang ! Allons, ne bousculez pas nos chers serpents. Et ne vous entassez pas comme ça autour d'eux ! Un peu d'ordre, je vous prie.

Dans la cantine, Matrone tentait de libérer la voie pour les serpents aveugles. Mme P. avait été invitée à rejoindre l'équipe et se réjouissait d'être à nouveau en service.

Gylfie, Soren, Perce-Neige et Spéléon se mettaient toujours à table autour de leur bonne vieille Mme Pittivier.

La morosité de Soren s'évanouit à l'approche de sa nounou.

— Bonjour, mes trésors, siffla-t-elle de sa douce voix. Vous vous êtes amusés dans le Par-Delà, cette nuit? La classe s'est bien passée?

Pendant ce temps, à l'autre bout du creux, Primevère cherchait une place.

— Désolée, lui dit Otulissa, qui était installée au côté de quatre jeunes chouettes tachetées. Ce serpent est complet.

— Regardez! s'exclama Spéléon.

— Par ici, Primevère! cria Gylfie en agitant une aile. Viens avec nous!

— Il y aura toujours de la place pour toi à ma table, déclara Mme P. Je peux m'étirer davantage et loger un poussin de plus sans difficulté.

— Oh! merci. Merci beaucoup, fit Primevère d'une voix chevrotante.

— Tu vas bien? lui demanda gentiment Spéléon.

— Oui, ça va, répondit-elle sur un ton peu convaincant.

Enfin, bof... Toutes ces discussions à propos des sélections me rendent nerveuse.

— Vous en parlez beaucoup trop, si vous voulez mon opinion, grommela Mme P. Allez, buvez votre tisane tant qu'elle est chaude. Cordon-Bleu n'a pas lésiné sur les baies de symphorine. Ça va bientôt être la saison et elle n'hésite plus à puiser dans ses réserves.

— C'est difficile d'oublier les squads, madame P., soupira Soren. Tout le monde ne parle que de ça.

— Il paraît que la plupart des chouettes des terriers intègrent les équipes de battue. Grâce à nos pattes puissantes et notre don pour explorer les sols, nous sommes les candidats idéaux. Je crois que ça me plairait.

— Moi, je veux devenir sauveteur, affirma Perce-Neige. Ils ont des serres de combat.

— Tu voudrais te battre ? s'étonna Primevère, un peu alarmée.

— Contre une chouette de Saint-Ægo, plutôt deux fois qu'une ! Celles qu'on a croisées dans le désert ont pris une sacrée dérouillée. Pas vrai, les gars ?

Soren et Gylfie prièrent pour que leur copain ne se lance pas dans un de ses duels imaginaires au beau milieu du réfectoire. Même s'ils l'adoraient, il pouvait parfois se montrer si embarrassant !

— Et tant mieux, dit Spéléon. Sans vous et les aigles, je serais mort à l'heure qu'il est. Pas seulement mort... dévoré !

— Tu plaisantes ? hoqueta Primevère.

— Pas du tout.

— Oh ! allez, raconte ! insista-t-elle.

— Les enfants, on ne tient pas ce genre de conversation à table. Et puisque je suis la table, je vous saurais gré de me l'épargner.

Trop tard. Spéléon avait déjà entamé son récit et Primevère était pendue à son bec. Mme Pittivier se contenta de marmonner : « Hukla, hukla... », ce qui en langage serpent signifiait qu'il fallait bien que jeunesse se passe.

Elle se mit à somnoler tandis que les jeunes chouettes continuaient de bavarder en sirotant leur tisane.

— Vous la connaissez celle-là ? fit Perce-Neige. C'est une bande de corbeaux et autres mous du croupion, genre colibris et mouettes...

— Oh, c'est vrai : les mouettes sont vraiment dégoûtantes, confirma Primevère.

— C'est clair ! renchérit Soren.

— Tiens, j'ai une idée ! On va faire un concours de blagues sur les mous du croupion ! proposa Spéléon.

Soudain, les coquilles de noix qui leur servaient de tasses vibrèrent.

— Assssssez ! tonna Mme Pittivier. Je ne tolérerai pas ce genre de discussion à table. C'est totalement déplacé.

Ses écailles roses miroitèrent, se parant de nouveaux reflets et, une seconde plus tard, toutes les tasses étaient tombées de son dos.

Ce n'était pas exceptionnel qu'un serpent domestique se secoue pour renverser le goûter. Le règlement du Grand Arbre de Ga'Hoole comportait peu d'interdictions, mais raconter des blagues de mous du croupion figurait sur la liste. Elles n'étaient autorisées nulle part, encore moins dans la cantine. Les serpents avaient des ordres stricts : en cas de faute, ils devaient aussitôt renvoyer les coupables, de la manière que Mme P. venait d'employer.

Ils furent donc convoqués par Boron et Barrane. Évidemment, la reine les gronda et critiqua leur attitude qu'elle qualifia de « bien médiocre ». Le roi, lui, prit leur défense :

— Ne sois pas trop sévère avec eux. Ils sont encore jeunes. Les mâles font souvent ces choses-là...

— Boron, permets-moi de te signaler que Primevère et Gylfie ne sont pas des mâles.

— Mais je connais des tas de blagues de mous du croupion, moi ! pépia Primevère.

De sourds chuintements trahirent l'hilarité générale. Seule la reine ne riait pas. En revanche, c'était son mari qui chuintait le plus fort ! Son gros corps blanc et pelucheux tremblait tellement qu'il en perdait des touffes de duvet.

— Vraiment ! Boron ! Il n'y a pas de quoi s'esclaffer ! protesta sa compagne, consternée.

— Mais si, ma chère ! Justement ! s'écria-t-il avec une gaieté redoublée.

Les chouettes avaient pris leurs quartiers pour la journée. Miss Plonk avait fini de chanter sa berceuse depuis déjà plusieurs heures et tout le monde s'était souhaité un bon potron-minet. Soren avait d'abord eu du mal à s'endormir, puis il s'était réveillé à cette heure où le silence pèse sur la nature alanguie, quand l'air est saturé de lumière et que les minutes s'égrènent au ralenti. L'heure où l'on se demande si la nuit reviendra jamais. Sa mélancolie l'avait rattrapé. Il ne trouvait pas d'explication ; il aurait dû être heureux ici. En plus, il avait mauvaise conscience à cause de leur comportement à table. Les bonnes manières étaient importantes pour Mme P. Il détestait la décevoir. « Je devrais peut-être aller m'excuser », pensa-t-il. Elle serait sûrement éveillée.

Le creux qu'elle partageait avec deux de ses collègues était situé presque trente mètres au-dessous du nid de Soren. Il sentait bon l'écorce humide et les pierres chaudes – un élément incontournable dans les appartements des serpents, car ces animaux adoraient dormir à leur contact. Bubo les réchauffait à la forge spécialement pour ces dames. La chaleur qu'elles dégageaient soulignait l'arôme de la mousse qui garnissait la chambre. Celle qui poussait sur le tronc du Grand Arbre de Ga'Hoole était très douce. Cordon-Bleu s'en servait comme ingrédient dans une de ses recettes de soupe.

Soren se délectait de son parfum. Eh oui! Rien ne se gaspillait au Grand Arbre de Ga'Hoole. C'est pourquoi les chouettes en prenaient grand soin. Elles cueillaient juste la bonne quantité de baies de symphorine et enterraient autour des racines leurs pelotes, dont le contenu riche et nourrissant était vite absorbé.

Soren s'arrêta devant l'ouverture et jeta un coup d'œil à l'intérieur. Avant qu'il ait prononcé le moindre mot, Mme P. l'avait reconnu.

— Soren, que fais-tu debout à cette heure-ci? Viens, entre.

— Vos voisines dorment?

— Oh, non, elles sont dehors, chacune avec sa guilde.

Les guildes étaient aux serpents ce que les squads étaient aux chouettes. Il en existait plusieurs: celle des harpistes, celle des dentellières, celle des tisserandes et bien d'autres encore. Mme Pittivier n'appartenait encore à aucune.

— Madame P., je suis venu vous présenter mes excuses pour ma conduite impardonnable de ce matin. Je suis vraiment désolé...

Elle enroula ses anneaux et pencha la tête, adoptant cette expression de compassion qui lui était si propre.

— Soren, dit-elle avec une telle douceur qu'il en eut les larmes aux yeux, mon cher garçon, je sais que tu es désolé, mais je ne crois pas que ce soit ce qui t'amène.

— Ah bon ? Alors... qu'est-ce que c'est ?

— Je crois que ça a un rapport avec ta sœur Églantine.

Il comprit aussitôt qu'elle avait raison. Ses parents lui manquaient terriblement, cependant il ne s'inquiétait pas pour eux. Mais Églantine... Avait-elle été enlevée ? Était-elle ?...

— C'est de ne rien savoir qui est si dur à supporter, n'est-ce pas ? D'ignorer si elle est morte ou vivante...

— Ou bien enfermée quelque part.

— Oui.

— Ça ne me console même pas de penser qu'elle est peut-être au paradis de Glaumora. Non, je voudrais qu'elle soit avec moi.

— Je comprends. C'est vrai, elle est trop jeune pour aller à Glaumora.

— Et puis je croyais que la Pension Saint-Ægolius était

le pire endroit sur terre, mais souvenez-vous de ce qu'a dit la chouette rayée en mourant: « Si seulement... »

— Allons, calme-toi, mon enfant.

Maintenant qu'il avait commencé à libérer le flot de ses émotions, il ne pouvait plus s'arrêter.

— Que savez-vous à propos de ce « si seulement » ? Vous avez obtenu des informations ?

Mme Pittivier dessina un 8 avec la tête. Ce mouvement traduisait l'embarras chez les serpents. Soren la scruta de près. Est-ce que... des gouttes s'écoulaient des deux petites fentes qu'elle avait à la place des yeux ? Il se sentit soudain tout honteux.

— Je suis désolé, madame P. Je n'aborderai plus le sujet.

— Non, trésor. Viens me voir chaque fois que tu auras besoin de parler d'Églantine. Cela te fera du bien. En ce qui concerne les rumeurs selon lesquelles nous aurions des ennemis plus redoutables que les sans-cœur de Saint-Ægo, ne nous démoralisons pas. Je suis convaincue au fond de moi qu'Églantine n'est pas morte. Je ne peux pas t'en dire plus, mais gardons espoir. Espérer n'est jamais en vain, n'en déplaise aux oiseaux de malheur. D'ailleurs, tu le sais déjà. Regarde-toi: après avoir été victime d'un enlèvement, tu as défié la fatalité en apprenant seul à voler pour t'évader de l'abominable orphelinat. Tu as fui loin de ces canyons vertigineux et tu t'es élancé dans le Par-Delà. Quiconque est capable d'une pareille prouesse connaît l'espoir.

Comme d'habitude, il se sentit beaucoup mieux après s'être confié à sa chère nounou, comme si une pluie purifiante l'avait débarrassé de sa tristesse et de ses tracas. Oui, ses parents lui manquaient encore. Il ne se ferait jamais à leur absence. Mais il retrouverait Églantine, il en avait la conviction.

Il décida de retourner à sa chambre par la route extérieure. Le garde posté de ce côté de l'arbre était très gentil et il ne lui reprocherait pas sa petite sortie. De toute façon, le règlement ne stipulait pas qu'un oisillon devait rester dans son creux sans bouger jusqu'au réveil en fanfare du crépuscule. Il s'éleva donc dans les airs, virevoltant entre les rameaux déployés du vieil arbre. Il voyait naître de nouvelles baies sur les vignes grimpantes fines et scintillantes, qui tombaient en cascade des branches du Grand Arbre et frémissaient au soleil. Elles étaient connues sous le nom de « pluie d'argent » à cette époque de l'année. L'hiver, elles étaient blanches ; l'été, elles tournaient au doré ; et enfin, à l'automne, elles devenaient d'un rose profond et cuivré. Voilà pourquoi, sur l'île de Hoole, au lieu de désigner les saisons par leurs appellations communes, on les surnommait les époques de la « pluie blanche », de la « pluie d'argent », de la « pluie d'or » et de la « pluie rose ». Rien de plus amusant pour les chouettes que de voler entre ces rideaux chatoyants. Les oisillons avaient inventé toutes sortes de jeux dans ce somptueux décor. Mais, pour l'heure, Soren était seul dehors. La pluie avait dû cesser depuis peu car des perles d'eau brillaient sur les lianes et, à travers elles, il entrevit un arc-en-ciel.

— Magnifique, n'est-ce pas ?

Une voix de carillon tinta dans la pluie d'argent. C'était Miss Plonk, un harfang des neiges, la chanteuse qui les aidait à s'endormir chaque matin. Quand elle plongea sous les vignes, Soren cligna les yeux d'étonnement. Quelle merveille ! Sa robe n'était plus blanche ; elle s'était métamorphosée en arc-en-ciel vivant ! Les couleurs semblaient irradier de son plumage.

Il regrettait qu'il n'y ait pas de squad où on puisse

apprendre la harpe et le chant avec elle. Malheureusement, tous les musiciens étaient des serpents aveugles femelles, sans exception ; quant aux cours de vocalises, seuls étaient acceptés les harfangs de la lignée Plonk.

Ils volèrent côte à côte pendant plusieurs minutes, explorant une à une les nuances de l'arc-en-ciel, puis Miss Plonk dit :

— Il est temps pour moi de rentrer, petit. Je dois chanter les vêpres. Je vois déjà les serpents sortir et se diriger vers la harpe. Je ne peux pas me permettre d'être en retard. Je suis ravie de notre promenade. Il y en aura d'autres, n'est-ce pas ? Passe me voir à l'occasion, nous prendrons une tasse d'infusion ensemble.

Il doutait d'avoir un jour le courage de lui rendre visite. Qu'aurait-il à raconter à une chouette si belle, si élégante ? Voler, d'accord, c'était facile. Mais faire la conversation à une dame ! Des douzaines de serpents aux écailles roses rampaient ensemble vers le creux qui abritait la harpe. Bientôt, le Grand Arbre de Ga'Hoole s'éveillerait et s'étirerait au son harmonieux des vêpres. Le crépuscule était là.

13

Les livres du Par-Delà

— Jeunes gens, veuillez me suivre. Nous allons étudier la base de notre cher Arbre. Examinons d'abord les racines qui dépassent du sol. Qui peut m'en montrer une ?

La ryb de ga'hoologie était une vieille chouette des terriers ennuyeuse comme la pluie.

— En voilà une !

— Très bien, Otulissa. C'est un parfait exemple.

— « En voilà une ! » minauda Gylfie en imitant sa camarade. Qu'elle est agaçante...

— À présent, poursuivit la ryb, il nous faudrait une pelote. Un volontaire ? Je vous montre comment les enterrer convenablement afin de nourrir l'arbre.

— Je vais en chercher ! proposa Otulissa.

Ils piétinaient depuis le crépuscule et Soren commençait à en avoir plein les pattes.

— Je déteste cette classe, soupira-t-il.

— Moi, ça ne me déplaît pas, dit Spéléon.

En bonne chouette des terriers, ce dernier préférait les activités au sol.

— Si je suis pris en ga'hoologie, je fais un scandale, grogna Perce-Neige.

— Toi ? Aucun risque, fit Soren.

Pourtant, en secret, il partageait l'inquiétude de son copain. Il n'arrivait pas à s'intéresser à cette matière, même s'il savait qu'elle était essentielle. D'ailleurs, la ryb le leur répétait sans cesse :

— Le Grand Arbre de Ga'Hoole est prospère et florissant depuis des milliers d'années, et grâce à qui ? Aux chouettes qui s'occupent avec dévotion de ce petit carré de terre que Glaucis leur a confié.

Dans son dos, Perce-Neige s'amusait à reproduire son discours en play-back.

— Quel mal élevé ! siffla Otulissa.

— Oh, va cracher une pelote, ça va te décoincer ! rétorqua-t-il.

— Ah ! J'ai entendu le mot « pelote ». Perce-Neige, mon cher, viens par ici. J'ai cru comprendre que tu avais un gentil cadeau pour notre Arbre.

La leçon se termina une heure avant qu'il ne fasse nuit noire. Les élèves disposaient d'un peu de temps pour aller lire pendant l'interclasse. C'était une des occupations favorites de Soren et Gylfie, qui avaient une affection particulière pour les bibliothèques depuis leur évasion de Saint-Ægo. Les deux jeunes chouettes ne savaient pas déchiffrer à l'époque. À l'orphelinat, l'accès à la bibliothèque était strictement interdit à tous, excepté à Crocus et Hulora, les deux brutes qui dirigeaient la pension. À part elles, personne ne savait lire là-bas. Cependant, Soren et Gylfie étaient parvenus à s'y infiltrer, et de là, à s'échapper.

À Ga'Hoole, au contraire, les livres étaient à la disposition de tous, et personne ne se privait de les consulter. La bibliothèque représentait la liberté, une sorte de Par-Delà, un monde inconnu et nouveau à explorer pour les petits.

Elle ne présentait qu'un inconvénient : Ezylryb traînait

sans arrêt dans les parages. Il était toujours aussi effrayant, avec ses hululements graves qui ressemblaient à des grognements. Ce vieux hibou était avare de paroles et avait un goût marqué pour les chenilles. Il s'en constituait une réserve une fois que la saison était terminée et en gardait toujours à portée de griffes. Ce n'était pas tant ses commentaires que ses silences qui perturbaient Soren et Gylfie. Avec ses yeux tordus, il observait ce qui se passait autour de lui sans pour autant arrêter de lire. De temps en temps, il émettait un léger grondement, que les jeunes lecteurs interprétaient comme un reproche. Le pire, c'était sa patte déformée. Ils savaient que c'était malpoli, mais ils ne pouvaient s'empêcher de la fixer. Gylfie craignait de commettre un jour un impair.

— Tu te rappelles cette fois où Matrone m'a demandé d'apporter à Ezylryb une tasse au moment du goûter ? Je devais me renseigner pour savoir s'il prendrait « la même chose que d'habitude » avec sa tisane. J'avais tellement la trouille que j'ai failli dire : « Matrone voudrait savoir si vous désirez la même patte que d'habitude avec votre thé ? »

Soren éclata de rire, mais il n'en menait pas plus large qu'elle.

Néanmoins, il y avait tant de bonnes raisons de se rendre dans la bibliothèque que les deux amis surmontaient leur frayeur. Ils finissaient toujours par faire abstraction des grognements, de la serre abîmée et du regard menaçant et ambré du petit duc.

La réserve de livres était située près du sommet de l'arbre, dans un creux spacieux garni d'agréables nattes de mousse, d'herbe et de filaments de duvet, et entièrement tapissé d'étagères bien fournies. Lorsqu'ils entrèrent, ils aperçurent aussitôt Ezylryb à sa place attitrée, devant son éternel tas de chenilles. Il avait le bec plongé dans un livre intitulé *Les champs magnétiques provoqués par les phénomènes naturels ou non naturels dans la nature.*

Soren se dirigea vers une rangée de livres consacrés aux églises et aux granges, ces lieux qui accueillaient autrefois les chouettes effraies, surnommées alors « chouettes des clochers ». Il aimait contempler les images et lire les histoires. Certaines églises étaient splendides, avec leurs vitraux de toutes les couleurs et leurs flèches de pierre qui s'élançaient haut dans le ciel.

Toutefois, il préférait encore les petites églises très simples, en bois, avec de jolies peintures à l'intérieur et des clochers délicats. Gylfie, elle, aimait les livres de poésie et, dans un autre style, les recueils de devinettes et de blagues. Elle partit vérifier si un ouvrage qu'elle avait repéré la veille était encore dans les rayons. Il s'intitulait : *Girouettes, mouettes, alouettes : le meilleur de l'humour des chouettes et des hiboux, accompagné de recettes et de conseils pratiques.* Il avait été écrit par Philomène Dupipeau, serpent domestique célèbre pour sa carrière exceptionnelle.

Au moment où elle allait s'emparer du volume, elle entendit un grognement :

— Tu pourrais opter pour de meilleures lectures, jeune fille. Quelques heures passées avec cette lamentable Philomène suffisent amplement. Pourquoi ne pas t'intéresser à quelque chose de plus substantiel ?

— Comme quoi, par exemple ? s'enquit-elle d'une voix timide.

— Essaie donc celui-là, fit Ezylryb en tendant sa patte à trois griffes.

Soren se figea. Beurk... Était-ce une difformité de naissance ou le résultat d'une bagarre avec un corbeau ? Les plumes des deux jeunes chouettes s'aplatirent automatiquement, sous l'effet de la peur. Le vieux hibou se leva de son bureau, vola vers le rayonnage et, d'une griffe, tira le livre.

— Regardez plutôt ça, stupides poussins, au lieu de reluquer ma patte ! Ou d'ailleurs si, tant que nous y sommes : observez-la bien, une bonne fois pour toutes. Quand vous serez habitués, vous n'y prêterez plus attention.

Sur ce, il agita son moignon juste sous leur bec. Les pauvres petits manquèrent s'évanouir.

— Ça y est, on est habitués, bredouilla Soren.

— Tant mieux. Maintenant, lisez ce livre.

Gylfie commença à déchiffrer la couverture : *Les diverses fonctions du gésier : étude de physiologie interprétative de cet organe vital chez les strigiformes.*

— C'est quoi, les strigiformes ? se renseigna Soren.

— Nous, murmura Gylfie. C'est le nom savant de toutes les chouettes – chevêchettes elfes, chouettes effraies et... hiboux petits ducs.

— Exactement ! Lisez ensemble. Cela ne vous fera pas de mal de vous atteler à des sujets un peu ardus... et ça vous évitera de perdre du temps à penser à ma patte, ajouta-t-il en plissant ses drôles d'yeux dorés. Enfin, si vous voulez y jeter un dernier coup d'œil, il n'y a qu'à demander.

Il l'exhiba un instant, puis, de sa démarche claudicante, il alla raviver le feu de cheminée, avant de retourner à son bureau.

Soren et Gylfie ouvrirent le volume. Heureusement, il était largement illustré mais le premier paragraphe leur donna du fil à retordre.

> Le gésier est un organe digne d'émerveillement. Considéré comme le second estomac des chouettes et hiboux, et souvent appelé « estomac musculaire », il filtre les aliments indigestes tels que les os, la fourrure, les poils, les plumes et les dents. Il comprime ensuite ces déchets sous forme de pelotes, qui sont régurgitées par le bec. [Se reporter à la note de bas de page au sujet de l'identification des espèces par l'analyse des pelotes.]

— À mon avis, on peut sauter les notes, chuchota Soren, en espérant qu'Ezylryb n'entendrait pas. C'est déjà assez barbant comme ça.

— De toute façon, je les saute toujours, avoua Gylfie.

— Tu as lu beaucoup de textes avec des notes?

— Un. Il traitait de l'entretien des plumes. Oh, lis ça!

Elle pointa le paragraphe suivant:

> Des volumes entiers ont été consacrés aux mécanismes physiques du gésier. En revanche, dans toute cette littérature, le lecteur rencontre peu de développements concernant les différentes humeurs de ce formidable organe. Il s'agit d'un oubli fort regrettable. En effet, n'attribuons-nous pas nos sentiments les plus profonds à la sensibilité de ce muscle? Combien de fois par nuit une chouette se dit-elle: «Je le sens dans mon gésier»? Lorsque nous sommes en proie à une puissante passion, lorsque nous éprouvons de la confiance, ou de la méfiance, peut-être, telle est notre première réaction.

— C'est vrai, affirma Soren. Mais il n'y a rien de très neuf ni de très original là-dedans.

— Lis ce qui est écrit plus loin.

> Nous nous servons également de notre gésier pour nous orienter. Il nous aide souvent à naviguer sur des terrains émotionnels semés d'embûches. Cependant, j'ai pu observer que les chouettes immatures étaient incapables

d'interpréter avec certitude les signaux délivrés par leur gésier. Pourquoi les poussins sont-ils si nombreux à briser l'unique règle sur laquelle les parents insistent tant – je veux parler de l'interdiction de voler avant d'être prêts –, tombant ainsi de leur nid ? L'entêtement en est la cause. Ils ont occulté certains signes subtils émis par leur gésier.

Soren leva les yeux et constata qu'Ezylryb les scrutait.

— Pourquoi il nous fait lire ça ?

— Je crois qu'il veut nous transmettre un message.

— Lequel ? Ne soyez pas têtus ? Écoutez votre gésier ?

— Je n'en sais rien. On y réfléchira plus tard, c'est presque l'heure du vol de nuit.

Ils refermèrent le livre et quittèrent la bibliothèque en adressant de petits hochements de tête à Ezylryb.

— Très intéressant, assura Gylfie. Nous vous remercions de nous l'avoir indiqué.

— Oui, merci beaucoup, renchérit Soren.

Le hibou resta muet. Il se contenta de toussoter en piquant une chenille dans son tas.

— Grand Glaucis, soupira Soren. Je meurs si je suis pris dans l'équipe de météo. Tu imagines ? Avoir Ezylryb comme ryb principal ? J'en ai la chair de poule, je préfère ne pas y penser.

— Si tu deviens charbonnier, tu seras obligé de prendre météo et de voler avec lui, quoi qu'il en soit, expliqua Gylfie.

— Je n'ai aucune envie de faire charbonnier non plus, si c'est pour me brûler le bec, répliqua-t-il d'un air abattu.

— Je te rappelle que tu as attrapé la braise et que tu l'as lâchée sur le lynx sans te brûler.

— On en a tous ramassé ce jour-là. Vous autant que moi.

— Ouais, mais toi, tu as réussi à voler avec !

— J'ai eu du bol, c'est tout. La chance du débutant.

— Normalement, en se débrouillant bien et avec un peu de travail, on ne se brûle jamais. Moi, j'adorerais avoir Bubo comme ryb principal.

— Si on est forcés de se coltiner les cours d'Ezylryb avec, je ne suis pas sûr que ce soit une affaire. De toute manière, je crois que Bubo n'est qu'assistant. C'est Elvan qui entraîne les charbonniers. Je ne comprends toujours pas pourquoi l'option météo est obligatoire avec le charbonnage.

— Parce que tu dois savoir voler à travers des feux de forêt pour ramasser les braises. La chaleur crée des courants d'air et des vents spécifiques ; c'est important de les connaître. J'ai entendu Bubo en parler une fois.

Soren décida de ne plus se tracasser.

— Alors, Spéléon, prêt pour le vol de nuit ? lança-t-il en apercevant la chouette des terriers.

— Oui. J'ai fait de ces progrès ! Boron a dit que j'étais beaucoup plus fort maintenant. Attends un peu de me voir dehors.

14
Le vol de nuit

Le vol de nuit offrait aux jeunes chouettes l'occasion de se détendre. Il n'avait aucun but particulier ; c'était une récréation en somme. Boron aimait rassembler les nouveaux venus et quelques-uns des anciens dans le ciel noir, afin qu'ils « apprennent à se connaître, partagent une ou deux plaisanteries, régurgitent quelques pelotes et hululent en chœur à la lune », selon ses propres termes.

— Tu vas aimer celle-là, Perce-Neige, dit-il. C'est l'histoire d'un mou du croupion qui nage au-dessus de la mer d'Hoolemere et qui percute un poisson.

Otulissa se rangea derrière Soren.

— Il est vraiment impossible, marmotta-t-elle.

— Qui ?

— Notre roi, Boron. Il raconte une histoire de mou du croupion. Ce n'est pas digne d'une personne de son rang.

— Otulissa, décoince ta pelote !

Employer cette expression n'était pas la manière la plus aimable de prier quelqu'un de se prendre moins au sérieux.

— J'espère qu'il ne dirige aucun squad. Je n'aimerais pas du tout être sous son commandement. Tu es au courant que les affectations se jouent ce soir ?

— Hein ?

— Oui, et mon gésier me dit que je vais découvrir dix glands cachés dans mon duvet.

Chaque squad avait une sorte de totem, que son chef déposait dans le nid des chouettes qu'il avait choisies. Ainsi, lorsqu'on trouvait dix glands disposés selon le motif de la constellation du Grand Glaucis, cela signifiait qu'on allait poursuivre son apprentissage en navigation auprès de Strix Struma. Une pelote représentait l'équipe de battue, une baie de symphorine, la ga'hoologie et une plume de mue, le squad de sauvetage. Une chenille séchée symbolisait évidemment l'équipe de météo d'Ezylryb. Enfin, un morceau de charbon et une chenille destinaient le jeune à mener en parallèle la formation de charbonnier et de météo.

— Tu n'as pas de pressentiment, Soren ? lui demanda Otulissa.

— Je préfère ne pas en discuter, rétorqua-t-il d'un ton presque snob.

— Pourquoi pas ?

— Je ne sais pas. Ça me met mal à l'aise. Sans vouloir t'offenser, Otulissa, pour quelqu'un d'aussi bien élevé, tu manques cruellement de tact parfois.

— Ça, alors !

Vexée, elle se tourna vers Primevère. Celle-ci volait assez bruyamment car, comme toutes les chevêchettes – communes ou elfes –, elle était dépourvue de peigne, cette frange bordant les rémiges qui permettaient à certaines espèces de naviguer en silence.

— Et toi, Primevère ? Une intuition dans ton bon vieux gésier ?

— Oh, je ne sais pas... Un instant, je suis sûre d'être prise en sauvetage – ce que j'adorerais –, et sitôt après, je suis persuadée qu'ils vont me désigner pour la battue, ce qui ne me dérangerait pas non plus. Bref, aucune idée. C'est tout le problème.

— Quel problème ?

— Au fond de mon gésier, je dois savoir ce que je désire vraiment. Mais je suis incapable de me concentrer pour l'écouter. Je suis peut-être trop jeune. Pourtant toi, tu as l'air de savoir ce que tu veux. Tu es sans doute plus mûre que moi.

— Sans doute, affirma-t-elle avec aplomb.

— Tu as de la chance, soupira Primevère.

Soren, qui avait suivi la conversation, clignait les yeux d'étonnement. Primevère avait presque repris les termes exacts du passage qu'il venait de lire avec Gylfie sur les chouettes immatures. Il coupa derrière Otulissa et vint se placer à côté d'elle.

— Primevère, tu es déjà allée à la bibliothèque consulter ce livre sur la physiologie et les diverses fonctions du gésier ?

— Oh ! Grand Glaucis, non ! Je ne lis que des recueils de blagues et quelques romans, jamais de bouquins avec un mot en « -ologie » dans le titre. Tu savais que Miss Plonk avait écrit ses mémoires ? Elle a eu un nombre fou de compagnons. Son livre s'appelle : *Ma vie et mon temps : les chroniques anecdotiques d'un destin voué à l'amour et à la chanson*. Elle y parle beaucoup de musique. J'adore Miss Plonk.

— Qui peut s'intéresser à ces trucs romantiques à la noix ? s'écria Perce-Neige en les rattrapant. C'est nul ! Moi, j'aime les bouquins sur les armes, les serres de combat, les massues...

— Ni l'un ni l'autre, en ce qui me concerne, déclara Otulissa. Quant à Miss Plonk, elle n'a aucune classe. Certains affirment qu'elle a quelque chose de la pie, et je suis assez d'accord. Est-ce que vous êtes déjà allés dans ses « appartements », comme elle dit ?

— Oh, oui, s'exalta Primevère. Ne sont-ils pas magnifiques ?

— Ils sont surtout jonchés d'objets fabriqués par des créatures louches. Bouts de faïence, tasses en porcelaine ébréchées, et j'en passe. À votre avis, où les dégote-t-elle ? Moi, j'affirme qu'une pie se déguise sous ses belles plumes blanches. Et franchement, je trouve la décoration de son creux vulgaire, à l'image de son occupante.

« Comment peut-on être aussi infect ? » se demanda Soren. Il décida de changer de sujet.

— Au fait, comment tu as atterri ici, Otulissa ?

— C'était à l'époque de la pluie rose. J'arrivais d'Ambala. Vous êtes peut-être au courant qu'à cause des patrouilles de Saint-Ægo, de nombreux œufs disparaissent dans mon royaume. Ma mère et mon père s'en étaient fait voler deux. Ils sont sortis pour essayer de les retrouver. Moi, pendant ce temps, je devais rester au nid sous la surveillance d'une tante distraite. Et voilà que tatie se met en tête d'aller rendre visite à un copain ! Alors je me suis inquiétée. Je ne savais pas encore voler – et n'allez pas vous imaginer que j'avais l'intention d'essayer. J'ai toujours été un poussin très sage. Je me suis juste penchée dehors pour la chercher des yeux et je suis tombée. C'est la stricte vérité.

« Ouais, c'est ça ! » se dit Soren. Elle avait désobéi, comme beaucoup d'oisillons. Gylfie, au moins, avait eu l'honnêteté de reconnaître qu'elle avait tenté de décoller. Au fond, Otulissa n'était pas si différente des autres, derrière ses chichis.

— Heureusement, poursuivit-elle, des sauveteurs de

Ga'Hoole ont débarqué. Ils m'ont remise dans mon nid et nous avons attendu ensemble le retour de ma famille. Mais personne n'est jamais rentré. Je suppose que mes parents sont tombés sur un os en cherchant à récupérer les œufs. Et pour ma tante, je ne sais pas... Elle était étrange, et même un peu écervelée – du moins, pour une chouette tachetée. Toujours est-il que je me suis retrouvée à Ga'Hoole. (Elle fit une pause et cligna des yeux.) Je suis orpheline, comme vous.

Soren était déconcerté par ce soudain accès de gentillesse. Otulissa soulignait rarement ses points communs avec ses camarades. D'habitude, à l'écouter, elle n'avait de liens qu'avec les plus distingués de ses ancêtres Strix.

Boron fit claquer son bec pour annoncer la fin de la promenade. Strix Struma les rejoignait en luttant contre le vent afin de prendre le relais avec son cours de navigation.

— La leçon sera brève aujourd'hui, mes enfants. Comme vous le savez, c'est une nuit exceptionnelle et nous devrons être de retour avant les premières lueurs de l'aurore.

Ils rentrèrent au Grand Arbre à ce moment charnière que les chouettes appellent le Gris-Matin, lorsque l'obscurité commence à faiblir, mais que le soleil n'a pas encore percé à l'horizon. Les jeunes chouettes avaient l'impression que les serpents domestiques rampaient encore plus lentement que de coutume ce matin-là. Un silence anormal régnait dans la cantine. Même Otulissa était muette.

— Qui en veut plus ? demanda Mme P. Je serais ravie d'aller en rechercher. Ces gâteaux aux glands de Ga'Hoole sont délicieux.

Otulissa ferma les yeux. Ce n'était pas une part de gâteau que son imagination lui dépeignait, mais dix glands représentant la constellation du Grand Glaucis au fond de son duvet. Elle avait l'air de tant y tenir que Soren avait presque pitié d'elle.

Enfin, l'heure de dormir sonna. Une fois que Miss Plonk aurait fini de chanter, ils seraient autorisés à fouiller leur nid pour y découvrir leur destin. Exceptionnellement, au lieu des ronflements habituels, un concert de cris rauques et de grognements succéderait à la berceuse. Certains s'exclameraient: « Tu vois, je t'avais bien dit que tu serais pris dans ce squad! », pendant que d'autres se morfondraient: « Combien de temps vais-je tenir en ga'hoologie, avec cette vieille chouette des terriers sur le dos? »

Soren, Spéléon, Perce-Neige et Gylfie regagnèrent ensemble leur creux.

— Bonne... bonne chance, tout le monde, balbutia Spéléon. Perce-Neige, j'espère de tout cœur que tu auras ce que tu désires. Je sais combien cela compte pour toi.

Comme Primevère, Soren ne savait pas trop ce qu'il souhaitait. Ah, s'il était moins immature!

Pendant que chacun se dirigeait vers son coin, les cordes de la grande harpe se mirent à vibrer en harmonie avec la voix magique de Miss Plonk. La dernière strophe arriva beaucoup trop vite au goût de Soren. Il sentit son cœur s'emballer.

Le crépuscule est encore lointain
Mais l'obscurité reviendra vous envelopper.
Ses flots inonderont peu à peu les champs,

Les fleurs sauvages l'une après l'autre refermeront leurs corolles
Tandis que vous vous réveillerez.
Le Grand Arbre est votre foyer,
Au creux de son tronc protecteur vous apprendrez la liberté.
Oui, dormez sans crainte, oisillons :
Glaucis veille sur vos rêves.

Les accords de musique furent bientôt remplacés par les bruissements caractéristiques de chouettes farfouillant dans le duvet pelucheux de leur couche. Les premières exclamations retentirent.

— Une pelote ! s'écria Spéléon. Je suis accepté en battue. Je n'en reviens pas !

S'ensuivit un hululement joyeux de Perce-Neige :

— Hourra ! Je suis dans l'équipe de sauvetage !

D'autres cris jaillissaient des creux voisins.

— Un arbre en fer, il est magnifique !

— Une baie... Oh, non !

— Dix glands !

Contre toute attente, ce n'était pas la voix d'Otulissa, mais celle de Gylfie.

— Soren, je n'en reviens pas ! Je ne me doutais pas que Strix Struma m'appréciait autant.

Puis un lourd silence s'installa dans la chambre. Six paires d'yeux jaunes étaient braqués sur la chouette effraie.

— Soren, dit Spéléon, qu'est-ce que tu as, toi ?

— Je... je ne suis pas sûr.

— Hein ? fit Gylfie.

— En fait, je n'ai pas encore regardé. J'ai trop peur.

— Soren, grogna Perce-Neige. Regarde, une fois pour toutes. Allez ! Ça ne peut pas être si terrible.

« Pas si terrible ? pensa-t-il. Forcément, maintenant que vous avez tous eu ce que vous vouliez. »

— Allez, Soren, l'encouragea Gylfie. Sois fort. Je reste avec toi.

Elle ne mesurait que la moitié de sa taille, mais en s'étirant au maximum, elle réussit à atteindre son aile et à lui lisser quelques plumes. Apaisé, il soupira et, avec délicatesse, il écarta son duvet. Un losange sombre apparut, à côté d'une chenille ratatinée.

— Un charbon ! Une chenille !

Un cri d'effroi fit trembler l'Arbre des racines jusqu'à

la cime. Il ne venait pas de Soren, qui se contentait de fixer son nid d'un air incrédule. Alors qui ?

— Impossible ! Quelle catastrophe !

« Otulissa ! Oh, Grand Glaucis... Comme si ce n'était pas déjà assez dur ! »

15
Chez Bubo

— Un, deux. Un, deux. Voilà, Ruby. Rentre le bec... Un, deux. Un, deux...

Soren suivait sa deuxième leçon d'apprenti charbonnier. Il était au fond du trou ; il n'avait pas été aussi déprimé depuis Saint-Ægo. Le ryb, une chouette lapone du nom d'Elvan, se tenait au centre d'un cercle tracé au sol, à la base de l'arbre, près de la forge. Bubo fournissait les charbons rouges et brûlants, tandis qu'Elvan aboyait ses ordres. Pour le moment, il apprenait à ses élèves à marcher en rythme. Soren avait une profonde aversion pour ce type d'exercice depuis les interminables processions de l'orphelinat. Mais Elvan prétendait que cette étape préalable à l'instruction en vol était indispensable.

Soren n'avait pas retenu grand-chose de son expérience dans les bois des Monts-Becs. Il avait peine à croire qu'il avait déjà volé avec des charbons ardents. L'angoisse l'avait tenaillé pendant les premières minutes de la classe puis, finalement, il s'était ennuyé le reste du temps. Il n'aurait d'ailleurs jamais soupçonné qu'on puisse passer si vite d'un tel état de stress à un ennui aussi profond. Bizarrement, la chaleur ne le gênait pas trop. Il se rappela s'être fait la même réflexion près de la grotte de la chouette rayée. Cependant, il nota que le col de plumes claires d'Elvan était en permanence noir de suie.

Il imagina avec dépit son beau visage blanc de chouette effraie tout souillé de taches rousses et brunes. Peut-être était-il vaniteux, mais il ne supportait pas cette idée.

— Attention, Soren ! cria Elvan. Tu as failli bousculer Otulissa.

« Heureusement qu'elle a le bec plein », se réjouit-il. C'était le seul point positif de ces cours : il était quasi impossible de s'exprimer avec un charbon ardent au bec et, pour une fois, Otulissa était contrainte de la boucler !

— Bien. Repos. Lâchez vos braises !

Ce qu'Elvan appelait un « repos » était en réalité une courte pause pendant laquelle il continuait de leur faire la leçon.

— Demain, vous commencerez à voler. Ce n'est pas beaucoup plus compliqué que la marche, vous verrez. La principale difficulté consiste à ne pas laisser les braises s'éteindre.

— Ben oui ! gronda Bubo. Quelqu'un peut-il m'expliquer à quoi me servirait un tas de cendres froides ? Hein, les jeunes ?

— En effet, reprit le ryb. Nous ne voudrions pas décevoir Bubo.

— Oh ! ça non, alors, marmonna Otulissa avec une pointe de moquerie.

Soren la lorgna du coin de l'œil. Une lueur de haine brillait au fond de ses prunelles. Il pouvait comprendre qu'elle soit déçue ou en colère d'avoir été choisie dans ce squad, mais pourquoi en vouloir tant à Bubo ? Otulissa se croyait sûrement trop bien pour lui, et pour les autres membres de l'équipe qui étaient d'un lignage moins illustre que le sien. Elle, une jeune chouette de haute naissance, vivait comme un affront de ne pas avoir été recrutée par Strix Struma, ainsi qu'elle ne cessait de le répéter à Soren.

— Dès que vous aurez le niveau requis en météorologie,

continua Elvan, nous vous dénicherons un beau feu de forêt – pas trop gros, rassurez-vous. Rien qu'un début d'incendie sur un taillis composé d'arbres divers et variés, tels que des arbres de Ga'Hoole, des sapins, des pins – bref, un mélange de bois durs et de bois tendres –, sans dépressions ni montagnes autour afin d'éviter les complications.

— Excusez-moi, pépia un petit nyctale.

Il s'agissait du jeune mâle qui avait été sauvé la même nuit que Primevère.

— Oui, Martin, je t'écoute.

— Je ne comprends pas pourquoi nous avons sans arrêt besoin d'aller chercher des charbons. Quand un feu a démarré, cela ne crée-t-il pas toujours de nouveaux charbons ?

« Voilà une question pertinente », pensa Soren. Pourquoi n'y avait-il pas songé ? Elvan se tourna vers Bubo.

— Bubo, en tant que Maître forgeron, aurais-tu l'obligeance de lui répondre ?

— À ton service, camarade. (Le hibou grand duc s'approcha de Martin, qu'il domina de toute sa hauteur.) Tu as posé une excellente question. Tu as raison, il est possible d'entretenir des feux, ce qui est utile par exemple pour faire la cuisine ou réchauffer les creux. Mais pour d'autres tâches, en particulier le travail du métal à la forge, nous avons besoin de charbons neufs et pleins de vie, tout juste issus d'un arbre bourré de sève sous son écorce frémissante. Ceux-là nourriront nos feux les plus chauds. Et puis il nous en faut de dimensions et de qualités variées. Certains types de bois fournissent des charbons plus durables. Voilà le secret du feu flagadant.

— C'est quoi, un « feu flagadant » ?

— Ah, tu maîtriseras un jour le vocabulaire de la forge ! Tout cela est difficile à décrire à un novice. Avec un peu d'expérience, on sait reconnaître un feu flagadant. Il faut s'entraîner à observer la lueur bleue à l'intérieur de la flamme et, plus délicat encore, le halo vert qui l'entoure.

Soren était impressionné. Le métier de forgeron ne s'improvisait pas. Même si Bubo ne portait pas le titre de ryb, il était drôlement calé.

Le défilé reprit bientôt, sans les charbons dans un premier temps.

— Je n'en peux plus. Je ne tiendrai pas une minute de plus, se plaignit Otulissa.

— Ne t'inquiète pas, ce sera plus rigolo quand on commencera à voler, la réconforta Ruby, une femelle hibou des marais de couleur rousse que Soren faillit une nouvelle fois percuter.

— Oh, je t'en prie, Ruby ! Ce n'était vraiment pas le squad idéal pour toi non plus. Avec ton profil, tu aurais dû intégrer l'équipe de battue.

— Tu dis ça parce que ma famille nichait au sol ? Je ne vois pas ce qui m'empêcherait de tenter de nouvelles expériences.

— Sois raisonnable : tu voles lentement et à ras de terre, tu étais la candidate parfaite pour traquer dans les sous-bois.

— Peut-être, mais je suis si excitée à l'idée de traverser un feu de forêt ! Et j'ai hâte d'apprendre la météo... Un ouragan ! Tu imagines, voler au milieu d'un ouragan ! Je m'embêtais dans les marais. La routine me rendait folle. Le bruissement de la brise dans l'herbe était toujours le même, le paysage ne changeait jamais. Oh ! bien sûr, les plantes s'inclinaient plus ou moins vite selon la force du vent. Je m'ennuyais à mourir. Je n'en reviens pas de la chance que j'ai d'appartenir à deux squads.

Sa joie faisait plaisir à voir et Soren l'enviait. Il hésita à lui demander si elle n'avait pas un peu peur d'Ezylryb. Cependant ç'aurait été admettre que c'était son cas. Ruby était une dure à cuire. Les sauveteurs l'avaient amenée au Grand Arbre peu de temps après l'arrivée de Soren. Elle n'était pas tombée du nid – et pour cause, puisque sa famille nichait au sol. Non, un mystérieux événement s'était produit pendant l'absence de ses parents. Elle avait eu une telle frousse qu'elle avait décidé de fuir à tire-d'aile alors qu'elle n'avait pas encore toutes ses primaires. On l'avait retrouvée épuisée, perchée dans l'un des rares arbres de sa région, et répétant sans cesse: «Ils ne m'auront pas! Jamais ils n'auront l'idée de chercher ici un hibou des marais âgé de quelques jours!» On ne sut jamais ce qui l'avait à ce point terrorisée.

La classe se termina enfin. Soren redoutait l'heure de la tisane. Comme la veille, Perce-Neige se vanterait de ses chandelles spectaculaires et de ses vrilles renversées, Gylfie et Spéléon parleraient de leurs activités passionnantes, et lui, il n'aurait rien à raconter. Alors qu'il hésitait à esquiver le rendez-vous à la cantine, Bubo l'accosta de sa démarche pesante.

— Tu t'améliores, Soren. De jour en jour. Je sais que les temps sont durs pour toi. Ce n'était pas le squad que tu espérais, mais n'oublie pas que c'est un grand honneur de faire partie de deux équipes. Je crois d'ailleurs que tu es la première effraie à être distinguée de la sorte. Allons, mon garçon. Viens avec moi, nous allons boire une tasse dans la forge. J'ai quelques campagnols frais, que tu pourras manger crus ou fumés, à ta guise. Cordon-Bleu a préparé une délicieuse tarte.

Soren suivit donc Bubo dans sa tanière. Située à proximité du Grand Arbre, elle lui servait de forge et de maison. L'entrée était une véritable fournaise, mais une fois qu'on s'était enfoncé assez loin à l'intérieur, la chaleur diminuait et on s'y sentait à l'aise. Le sol était jonché de tapis en fourrures de campagnol, et les murs couverts d'une quantité surprenante de livres. Soren n'aurait jamais cru que Bubo fût amateur de littérature.

Cet endroit lui rappela la caverne de la chouette rayée dans les Monts-Becs. Était-ce une forge ? Mais qu'aurait fait un forgeron retiré, seul, dans les bois ? Il préféra oublier ce souvenir pénible et renonça à en discuter. À défaut, il s'intéressa à un engin suspendu à la voûte, autour duquel tournoyaient des objets de couleurs vives. Au moindre frémissement, ils attrapaient les reflets des nombreuses bougies allumées et projetaient des ronds bariolés aux quatre coins de la grotte.

— Qu'est-ce que c'est que ça ?

— Ah ! Mon mobile de verre. Plonk me l'a offert. C'est elle qui l'a fabriqué.

— Vous voulez dire : Miss Plonk ? s'exclama Soren, étonné.

— Oui... Plonk et moi, ça remonte à un bail !

Bubo ponctua sa phrase d'un clin d'œil. Soren se demanda s'il était question de lui dans l'autobiographie de la femelle harfang, cet ouvrage qu'elle avait dédié à sa vie amoureuse et à la musique. Le grand duc lui présenta une tasse de tisane, ainsi qu'un bout de campagnol.

— Elle est très copine avec Maxi, qui lui procure tous ces éclats de verre... Mange donc. Quand tu commenceras les cours de météo avec Ezylryb, tu n'auras plus droit à la viande cuite. Il aime que ses élèves la dégustent intacte, avec la peau et les poils. Il prétend qu'on ne peut pas affronter une tempête, ou un ouragan, sans un morceau de chair crue à moudre dans le gésier.

— Merci… C'est qui, Maxi ?

— Oh ! Tu ne connais pas la marchande Maxi ? J'oubliais que tu venais seulement d'arriver. C'est vrai qu'elle n'est pas venue ici depuis l'été dernier. Ces machins qui brillent proviennent de ce qu'on appelle un vitrail, c'est-à-dire la fenêtre de ce qui était jadis une église.

— Oui ! s'écria Soren. Je sais ce que c'est. Autrefois, les chouettes effraies habitaient dans les clochers des églises.

— Très juste. Certaines y vivent toujours, d'ailleurs, quand elles n'occupent pas des granges ou des châteaux.

— Des châteaux ?

— Ce sont des maisons en pierre gigantesques et sophistiquées, avec des tas de tours et de cheminées, typiques des constructions que bâtissaient les Autres.

Soren avait déjà entendu parler des Autres, mais il ne voyait pas très bien à quel genre d'animaux ils s'apparentaient. On lui avait juste expliqué qu'ils n'étaient ni des chouettes ni des oiseaux, et qu'en réalité ils ne ressemblaient à aucun des êtres qu'il connaissait. De toute façon, ils n'existaient plus depuis très, très longtemps.

Ces créatures vivaient sans doute aux temps immémoriaux de Glaucis, l'ancêtre de toutes les chouettes.

— Des châteaux, répéta Soren d'un air rêveur. Ce doit être fabuleux, beau... et grandiose.

— Grandiose, en effet. Toutefois, si tu veux mon opinion, aucune chouette n'est à sa place dans une église, une grange ou un château. La vie dans les arbres, il n'y a que ça de vrai!

— Pourtant, vous vivez dans une grotte.

— Ça n'a aucun rapport.

— Pourquoi?

Bubo regarda Soren en biais.

— On a l'esprit vif, hein, mon garçon?

— Je ne sais pas, fit celui-ci en haussant les épaules, mi-confus, mi-flatté.

Puis, comme s'il voulait détourner la conversation, Bubo lança:

— Alors le verre coloré t'intrigue. C'est joli, n'est-ce pas?

Soren hocha la tête.

— J'aime bien les images des vitraux qu'on trouve à la bibliothèque.

— Maxi fréquente des régions où les vieilles églises en ruine sont nombreuses. Rien de tel qu'une pie pour dénicher ce genre de trucs ! C'est dans leur nature. Elle nous apporte des sacs entiers de babioles. Elle sait à l'avance ce qui va plaire à Plonkie. Celle-ci a un faible pour les objets de couleurs vives.

« Plonkie ! pensa Soren. Ils doivent être vraiment proches ! »

— Plonkie estimait que cet endroit manquait de lumière et de gaieté, poursuivit Bubo en désignant ses murs. C'est pourquoi elle a monté ce mobile. Elle en a plusieurs dans ses « appartements », comme elle nomme son creux – un caprice ridicule, à mon avis.

Ce cadeau mettait indéniablement une touche de bonne humeur à ce lieu austère.

— Bubo, vous n'avez pas la nostalgie des arbres ? Ce n'est pas comme si vous étiez une chouette des terriers, habituée à dormir dans le sous-sol. Le ciel ne vous manque pas ?

En disant cela, Soren imaginait le nid qu'il partageait avec Gylfie, Perce-Neige et Spéléon. L'écorce était percée d'une ouverture en forme de bec, par laquelle ils pouvaient contempler le ciel. Le jour, un ravissant triangle d'azur se découpait sur cette fenêtre, et lorsqu'ils revenaient de leurs escapades nocturnes, elle encadrait le firmament étoilé. Ainsi, ils pouvaient à tout moment sentir le vent souffler dans leurs plumes et écouter les frémissements des branches grimpantes de symphorine. Soren ne s'imaginait en aucun cas vivre dans une grotte.

— C'est vrai, les grands ducs n'ont pas coutume d'occuper des cavernes. Mais, vois-tu, je suis également forgeron. Je suis fasciné par les métaux. (Il pointa l'aile vers une étagère où étaient alignés de nombreux ouvrages sur les métaux et le travail de la forge.) Nous, forgerons, qu'on soit hibou grand duc, harfang, chouette lapone ou tachetée, nous ressentons cette passion au plus profond de notre gésier. Bien sûr, nous volons et nous adorons le ciel. Cependant, nous sommes aussi attirés vers la terre par une force étrange, unique, comme si, après tant d'années passées à battre le fer, nous avions développé à son contact une forme de magnétisme, par contagion en quelque sorte. Tu apprendras tout des champs magnétiques plus tard, en cours de physique. Certains métaux exercent une attraction puissante, tels que les paillettes de fer, par exemple.

— Les paillettes !

Soren dut se retenir de hurler. Les paillettes étaient un de ses pires cauchemars à Saint-Ægo.

— Un problème, petit ? Tu veux régurgiter une pelote ? Vas-y, ne te gêne pas. On ne fait pas de chichis ici.

— À Saint-Ægo, ils nous obligeaient à décortiquer des pelotes pour extraire les os, les plumes, etc., ainsi que des petites particules qu'ils appelaient des « paillettes ». Seuls les trieurs de catégorie A avaient le droit de les manipuler.

— Pas croyable ! s'exclama Bubo.

— Gylfie et moi, on n'a jamais compris ce que c'était. Et bien sûr, on n'a pas posé la question, vu que c'était interdit. Ils les entassaient dans la bibliothèque.

— Drôle d'endroit pour conserver du fer.

— Alors, les paillettes sont en fer ?

— Oui, en quantité infime. Elles sont évidemment moins intéressantes que les blocs de minerai de fer. L'idéal, c'est de tomber sur une grosse pépite en cherchant dans les rivières, comme pour l'argent ou l'or.

Le squad des métallos m'a ramené un très beau spécimen l'autre jour: un énorme morceau d'or. Figure-toi que Plonk l'a repéré aussitôt! À peine avaient-ils atterri qu'elle me harcelait déjà pour que je lui forge une breloque. Boron et Barrane risquent de ne pas être d'accord: l'argent et l'or appartiennent à la communauté, pas juste à une vieille coquette qui se jette sur tout ce qui brille! plaisanta-t-il en chuintant de bon cœur. À ce propos, elle va chanter sa berceuse d'une minute à l'autre. Tu ferais mieux de filer. Un programme chargé t'attend demain. Elvan estime que tu es prêt à voler avec les charbons. Tâche de ne pas rentrer dans Otulissa comme tu as failli le faire à l'entraînement... Écoute bien ce que je vais te dire, mon garçon: si tu as été sélectionné dans deux squads à la fois, c'est que Boron et Barrane ont jugé que tu avais quelque chose de spécial. Et Ezylryb, aussi.

— Moi ? Je ne comprends pas. Je suis tout ce qu'il y a de plus ordinaire.

— Oh ! non. Tu es marqué.

— Hein ? Marqué ?

— Ezylryb l'a vu immédiatement. Lui seul était capable de s'en rendre compte si vite. Il a beau être bigleux, il distingue des trucs qui sont invisibles aux yeux des chouettes ordinaires. Tu as déjà manipulé des charbons, pas vrai ? Tu n'as pas à en avoir honte, au contraire ! Tu as peut-être déjà volé avec une braise au bec, hein ?

Bubo inclina la tête et scruta Soren d'un air interrogateur.

— Ben… oui, mais je croyais avoir bien nettoyé la tache.

— Ah ! ce genre de trace ne s'efface jamais. Du moins, pas pour des gars comme Ezylryb. Un sacré bonhomme, celui-là ! Et malin, avec ça ! C'est le plus intelligent de nous tous. Il ne choisit pas ses élèves au hasard. Et il t'a désigné, toi. Alors sois à l'écoute de toi-même, Soren, et accepte ton destin.

Soren quitta la grotte très perturbé. Que voulait dire Bubo ? Accepter son destin ? Grand Glaucis, il ne savait même pas de quoi il avait envie ! Ou plutôt si : de n'importe quoi, sauf de suivre une double formation avec Otulissa et avoir Ezylryb pour ryb principal. Longtemps après la fin de la berceuse, il ressassait encore les paroles du forgeron. Perce-Neige, Gylfie et Spéléon dormaient. Du moins, il le croyait, jusqu'à ce que les intonations râpeuses de Spéléon se mêlent aux rais de lumière laiteuse du clair de lune.

— Soren, ça va ?

— Oui, pourquoi ?

— Je... je me fais du souci pour toi. Tu es si réservé depuis quelque temps. Tu n'es même pas venu prendre le thé avec nous ce matin.

— Ne t'inquiète pas pour moi. Tu as assez de tes propres soucis.

— Soren...

— Tu te tracasses trop. Ne te sens pas obligé de veiller sur moi.

— Je ne me sens pas obligé, répliqua-t-il avec un brin d'agacement. Je suis comme ça, c'est tout.

— Pourquoi tu t'énerves ?

— Tu penses peut-être que je ne suis qu'une vulgaire chouette des terriers, seulement bonne à courir par terre et à creuser ? Je ne suis pas qu'un tas de plumes sur pattes, figure-toi ! Je ressens des choses, je ne peux pas l'expliquer. Et là, j'éprouve une grande tristesse pour toi.

Soren cligna des yeux. À bien y réfléchir, les paroles de Spéléon rejoignaient celles de Bubo. Tout comme celui-ci n'était pas qu'un grand duc parmi d'autres, Spéléon avait un truc en plus, un je-ne-sais-quoi qui le distinguait de ceux de son espèce. Pour Bubo, il s'agissait de son amour des métaux qui le poussait à vivre à leur contact, au plus près du sol. Spéléon avait sa sensibilité. Et lui, qu'avait-il ? C'était peut-être cela qu'il découvrirait en étant davantage à l'écoute de lui-même ? Il avait le vertige tant les points d'interrogation se bousculaient dans sa tête.

Mais il n'avait pas entendu la meilleure :

— Soren, à ton avis, qu'est-ce que ça signifie : être une chouette ?

— Je ne sais pas... Je ne suis pas sûr de comprendre.

— Moi non plus, en fait. C'est juste que... ça paraît si facile de nous décrire. On peut dresser la liste de tout ce qui nous différencie des autres oiseaux, mais cela suffit-il à résumer ce qu'est une chouette ? Tiens : nos têtes tournent presque à 360 degrés, nous voyons la nuit, nous volons lentement et en silence – est-ce l'addition de ces signes particuliers qui fait de nous ce que nous sommes ?

— Spéléon, pourquoi faut-il que tu poses des questions si compliquées ?

— Parce qu'elles sont compliquées, justement. C'est passionnant. Cela ouvre plein de possibilités, des pistes inexplorées, avec des réponses inattendues ou surprenantes au bout, peut-être. Voilà comment je sais que je ne me réduis pas à une paire de pattes musclées surmontée d'une mauvaise paire d'ailes. Pas plus que ce beau visage blanc, ces oreilles fines et ces étranges yeux noirs ne sont toi.

Spéléon était décidément extraordinaire. Soren contempla les jeux de lumière changeants au-dehors en songeant au destin et aux nombreux mystères qu'il lui restait à déceler. Puis il regarda ses amis dormir paisiblement : Perce-Neige, l'énorme chouette lapone, dont le plumage gris argenté scintillait sous les feux du matin ; Gylfie, qui n'était guère plus grosse qu'un grain de poussière comparée à son voisin ; et Spéléon, avec ses longues pattes dépourvues de plumes, sa queue courtaude et sa tête plate.

Au bout du compte, le Grand Arbre de Ga'Hoole lui aussi échappait à toute tentative de description simplifiée.

Il ne se résumait pas à ses différences avec Saint-Ægo, comme Soren et Gylfie se l'imaginaient autrefois. Soren finirait bien par trouver, à son tour, ce qui faisait de lui une chouette unique.

Tandis que le soleil de midi déversait ses flots éclatants dans l'embrasure de la fenêtre, il sombra enfin dans le sommeil.

16

Les racines ont des oreilles

— Psst... psstt !

— Gylfie, râla Soren, pourquoi tu me réveilles à une heure pareille ? On est en plein jour. Tu es dingue ou quoi ?

— Une réunion très importante se tient au parlement.

La chevêchette sautillait d'excitation d'un bout à l'autre du creux.

— Et alors ?

— Je crois qu'ils sont en train de parler de la chouette rayée et de... et de...

Gylfie cherchait rarement ses mots : la situation devait être sérieuse.

— ... et du « si seulement ».

— Sans rire ?

— Je ne plaisante jamais avec ça, voyons.

— Comment tu le sais ? Tu as assisté à la réunion ?

Elle cligna des yeux et fixa ses minuscules serres avec une expression coupable.

— Ben... J'ai écouté aux portes, enfin, aux racines. Je n'arrivais pas à dormir et Cordon-Bleu nous conseille toujours, en cas d'insomnie, de descendre aux cuisines et de demander une bonne tasse d'infusion. Alors j'y suis allée et, en remontant, j'ai eu envie d'essayer un nouveau chemin. J'ai emprunté un de ces passages étroits qui traversent l'Arbre. Le problème, c'est qu'il m'a menée encore plus bas. Il y a un coin où le bois est plus mince qu'ailleurs, et j'ai entendu des voix. Je me suis arrêtée et coup de bol : j'ai trouvé une fissure pile à ma taille.

— Il y en a une assez grosse pour moi ?

— Peut-être. En tout cas, j'ai repéré une cachette encore mieux placée plus haut, mais il me faudrait de l'aide pour l'atteindre.

— À ton service, Gylf' ! s'exclama Perce-Neige, soudain réveillé. Quelle équipe de choc on forme ensemble ! L'espionne et le Géant Gris !

— Perce-Neige, par pitié ! grogna Soren.

— Quoi ? C'est vrai.

— Vous oubliez que j'ai l'ouïe la plus fine, et de loin. L'agent secret Gylfie et le Géant Gris n'iront nulle part sans Super-Oreille !

— Ni sans moi, intervint Spéléon, encore somnolent, en s'étirant les pattes.

— Spéléon, tu ne sais même pas de quoi on parle, rouspéta Gylfie.

— Non, mais on est un groupe, tu t'en souviens ? Vous n'avez pas le droit de faire un truc sans moi. Vous m'expliquerez sur le chemin.

Aussi discrètement que possible, les trois garçons suivirent Gylfie. Ils quittèrent leur chambre par l'extérieur et descendirent en rasant l'écorce sur environ un quart de la hauteur de l'Arbre. Là, une galerie étroite et tortueuse s'enfonçait au cœur de l'énorme tronc par une succession de circonvolutions. Ils s'y engouffrèrent et atterrirent bientôt sous le parlement. En effet, de là, on pouvait épier les débats – non pas tant parce que le bois s'affinait, mais parce que les racines du Grand Arbre conduisaient les sons.

Gylfie bondit sur les épaules de Perce-Neige, tandis

que Soren, aussitôt imité par Spéléon, plaquait l'oreille contre une racine.

— D'après toi, Bubo, notre chouette rayée s'est envolée sans laisser la moindre trace ? Notre compagnon aurait péri dans la région des Monts-Becs ?

Les quatre curieux écarquillèrent les paupières et étouffèrent des cris de surprise. Il devait s'agir de la chouette qu'ils avaient rencontrée, c'était forcé. Soren se concentra de toutes ses forces pour ne pas perdre une miette de la discussion.

— Je ne suis pas certain qu'il soit mort, Boron. Il a pu être capturé.

— Par les patrouilles de Saint-Ægo ou...

Malgré leurs efforts, ils ne purent distinguer les derniers mots de Boron. Il semblait y avoir un blanc dans la conversation, comme si le roi n'osait pas terminer sa phrase, comme si les mots étaient trop pénibles à prononcer. Soren frissonna. Puis il reconnut la voix d'Ezylryb :

— En tout cas, c'est un coup dur.

— Oui, il était un de nos plus précieux furets et un excellent forgeron, avec ça ! Un des meilleurs parmi les solitaires, se lamenta Bubo.

— C'est quoi un furet ? chuchota Spéléon.

Soren haussa les épaules. Il n'avait jamais entendu ce mot. Quant au terme « solitaire », il lui disait vaguement quelque chose, mais il n'était pas sûr de sa signification dans ce contexte.

— Sans un furet fiable et compétent, déclara Barrane, il va nous être très difficile d'obtenir des informations sur leurs activités dans les Monts-Becs. Sa forge était située à un endroit stratégique.

Alors ce mystérieux mâle, qui vivait dans une grotte tachée de suie, était à la fois un forgeron et un furet ? Peu à peu, les quatre jeunes finirent par comprendre que ce travail consistait à recueillir des renseignements.

— Notre vieil ami avait l'ouïe aussi fine qu'une effraie, affirma Boron. Nous recevions plus d'informations de sa part que des trois autres espions réunis. Et, ainsi que tu l'as souligné, ma chère, sa forge était idéalement placée, au carrefour des royaumes d'Ambala, des Monts-Becs, de Kunir et de Tyto. Impossible de faire mieux. Il s'était illustré dans la protection des œufs à Tyto, paraît-il. Il y avait aussi formé et entraîné des jeunes afin d'envoyer des renforts aux habitants d'Ambala lorsqu'ils avaient les pires difficultés. Oh, misère... Enfin, revenons à l'ordre du jour. Il faut reprendre notre position dans cette zone clé sans perdre un instant. Nous allons devoir assurer l'instruction d'un nouveau furet. Dans l'intervalle, nous enverrons des patrouilles pour surveiller les œufs, ainsi qu'une équipe de reconnaissance. Je veux peu de volontaires car il faut éviter d'attirer l'attention. Il est inutile de rappeler combien cette expédition sera risquée, étant donné les rapports récents que nous avons reçus. La majeure partie du travail s'effectuera au sol et, comme vous le savez, les lynx sont nombreux par là-bas.

— J'en suis !

Soren cligna des yeux en identifiant les intonations de la vieille, et si ennuyeuse, ryb de ga'hoologie.

— Moi aussi, dit Bubo.

— Je serai le troisième, lança un autre.

— C'est suffisant, annonça Boron d'une voix sourde. Bubo, es-tu sûr de vouloir y aller ?

— Affirmatif, monsieur. C'était un camarade forgeron.

— Oui, je le sais bien, mais tu es notre seul forgeron. Si tu ne revenais pas... eh bien, qu'adviendrait-il de nous ?

— Je reviendrai, monsieur. Je ne me laisserai pas capturer. Ni dévorer par un lynx. Vous avez besoin de moi pour cette mission. Je saurai ce qui s'est passé dans cette caverne. Il faut l'œil et le flair d'un forgeron pour résoudre un tel mystère. Il n'a pas pu s'évaporer dans la nature, et je ne crois pas qu'il ait été enlevé. Ni par Saint-Ægo, ni par vous savez qui. Je dénicherai des indices.

« Vous savez qui » ! Il y avait de quoi devenir fou. Soren était exaspéré. Finiraient-ils un jour par connaître l'identité de ces criminels ?

— Bien, reprit Boron, la chose étant réglée, je crois qu'il est l'heure de rendre hommage à notre frère. Il n'avait pas de nom. Il avait choisi de ne pas partager notre vie sur cette île, au milieu de la mer d'Hoolemere, refusant l'appui et le repos offerts par les splendides et très anciennes branches de notre Grand Arbre. Mais, à sa façon, il a servi notre cause aussi vaillamment que n'importe quel autre chevalier de Ga'Hoole. Levons un verre de liqueur de symphorine à sa mémoire et partageons les souvenirs heureux que nous a légués ce noble et courageux oiseau, grâce auquel les nids et les couvées de tant de familles à Ambala, Kunir et Tyto ont été préservés des assauts répétés de nos ennemis. Levons notre verre à un furet qui n'avait pas son égal, à un grand artisan des métaux, à un combattant intrépide et inlassable des forces du mal, à une chouette bénie de Glaucis. Qu'il rejoigne Glaumora en paix.

Là-dessus, la session du parlement fut levée. Des battements d'ailes résonnèrent dans le creux tandis que les adultes se retiraient. Soren, Gylfie, Perce-Neige et Spéléon se regardèrent, les yeux embués de larmes.

— Quand on pense, renifla Spéléon, que c'est nous qui l'avons trouvé.

— Justement, dit Gylfie, que fait-on maintenant ? On raconte tout à Boron et Barrane ?

— Ils vont savoir qu'on les a écoutés, objecta Perce-Neige.

— Ouais, soupira-t-elle.

— Moi, je crois qu'on ferait mieux de ne rien dire pour le moment, murmura Soren. De toute façon, avec ou sans les informations qu'on pourrait leur donner, ils ne modifieront pas leurs plans. Ils vont devoir envoyer une équipe de reconnaissance et former un nouveau furet.

— Tu as raison, acquiesça Gylfie. Et puis s'ils apprenaient qu'on les avait épiés comme ça, en douce... j'ai dans l'idée que Boron serait vraiment furieux contre nous.

— C'est clair, fit Perce-Neige.

La décision de Soren emportant l'approbation générale, ils regagnèrent leur chambre où ils dormirent jusqu'au crépuscule.

17
Spécialité météo

Soren fut réveillé en sursaut par un grêlon reçu en pleine tête. Dehors, le vent hurlait et la tempête faisait rage.

— Grand Glaucis, quelle pagaille ! marmonna Perce-Neige.

— Il caille, se plaignit Gylfie en frémissant.

— Viens par là.

La chouette lapone déploya une aile pour réchauffer son amie. Mais le creux était bien trop petit. Son envergure était telle qu'il renversa Spéléon de son lit.

— Oh ! Perce-Neige ! rouspéta ce dernier. Attention avec ton aile !

— Gylf 'a froid.

— J'espère qu'ils vont nous servir quelque chose de chaud à manger, dit-elle à travers son bec qui claquait.

— Moi aussi.

À la queue leu leu, ils se glissèrent avec précaution sur une branche que le vent secouait furieusement, puis ils s'envolèrent vers la cantine. Une bouillie de glands, des tasses d'infusion fumante, des limaces rôties et des souris braisées les y attendaient. Alors que Soren se précipitait vers sa place habituelle à côté de Mme Pittivier, une voix sèche le brisa dans son élan.

— Par ici, mon garçon. Dans l'équipe de météo, on mange la viande crue, avec la fourrure.

Ezylryb !

— Quoi ?

Il n'eut pas la force de prononcer un mot de plus. La surprise lui clouait le bec.

— Tu n'as pas entendu ? fit Otulissa.

— Entendu quoi ? répondit-il d'un air innocent.

— Notre première sortie avec le squad de météo va avoir lieu cette nuit.

— Tu plaisantes. On ne va pas aller dehors par un temps pareil.

— Mais si. D'ailleurs, je trouve cela scandaleux. Je vais

en toucher un mot à Strix Struma. J'irai voir Barrane s'il le faut. C'est absurde. On va tous mourir.

— Oh, tais-toi, petite, siffla Octavia. Assieds-toi et mange ta souris. Et surtout, ne mets pas les poils de côté. Cette remarque est valable pour tout le monde.

Octavia était une vieille femelle serpent grassouillette. Elle faisait office de table pour le squad de météo depuis des lustres. Contrairement à ses collègues, dont la couleur variait du rose tendre au fuchsia, en passant par le corail vif, Octavia était d'un bleu turquoise pâle. Soren s'installa près de Martin, l'intelligent petit nyctale qui avait posé la question sur les braises neuves pendant le cours d'Elvan. Étonné d'avoir autant d'espace, il vérifia si aucun de ses camarades ne manquait à l'appel. Tandis qu'il les comptait, il s'aperçut qu'en réalité ils avaient tous rétréci ! Leurs plumes pendouillaient, plaquées contre leur corps, ce qui indiquait une grande fébrilité. Des chouettes détendues auraient arboré un plumage flottant et vaporeux. Sous l'effet de la colère, elles se seraient hérissées au point de mesurer le double de leur volume normal. Mais là elles semblaient toutes avoir perdu plusieurs kilos. La tension était palpable dans l'air.

— Mangez, les enfants... Jusqu'au dernier poil. Vous avez trop tendance à vous déshabituer du goût de la viande crue et de la fourrure. Je vous présente Poot, mon second. Il va vous expliquer ce qu'il se produit dans le gésier quand on vole sans lest.

— Bonsoir, les jeunes. Je vais vous raconter une histoire. À l'époque où je n'avais pas encore d'appétit pour les poils, j'ai voulu naviguer dans un ouragan. Je n'ai jamais réessayé depuis. J'ai failli être aspiré dans l'œil du cyclone ! Sans blague. Vous ne voudriez pas que ça vous arrive, hein ?

Poot était un nyctale boréal, comme Scrogne, cette adorable vieille chouette qui avait aidé Soren et Gylfie à s'évader de Saint-Ægo.

— Qu'est-ce qu'il se passe quand on est pris dans l'œil du cyclone ? demanda Ruby.

— Tu fais la toupie. Tu tournes, tu tournes, tu tournes, jusqu'à ce que mort s'ensuive. C'est une des pires façons de partir. En général, les ailes finissent par se déchirer. Vraiment moche.

— Allons, Poot, cessez de leur faire peur, gronda Octavia.

D'un frémissement, elle fit s'entrechoquer les assiettes sur son dos.

— Et s'il vous plaît, les petits, n'essayez pas de glisser les fourrures sous la table. Souvenez-vous que je *suis* la table, et les poils me grattent horriblement.

La nuit n'était pas encore tombée que les membres du squad de météo étaient déjà alignés sur les branches de décollage. Ils luttaient de leur mieux pour rester debout malgré le vent tumultueux qui les fouettait et faisait plier la branche. Les aiguilles de glace pleuvaient dru.

— Naturellement, nous allons remonter au vent, annonça Ezylryb.

Avec ces rafales, Soren n'était même pas sûr de la direction du vent.

— Nous allons traverser la mer d'Hoolemere et tâcher de repérer le cœur de la tempête. Écoutez-moi bien. Je vais vous enseigner quelques notions élémentaires valables pour tous les vents forts – à l'exception des cyclones, qui présentent certaines particularités. Dans une tempête classique, vous avez d'abord une gouttière. C'est ainsi qu'on appelle la dépression principale à travers laquelle le vent s'engouffre. Elle se situe au centre et n'est pas comparable à l'œil du cyclone, qui est beaucoup plus dangereux. De part et d'autre, il y a les dalots, par où se déverse le trop-plein de la gouttière. Enfin, à l'extérieur, vous trouverez la rigole. Nous y reviendrons en détail plus tard. Moi, je vole en pointe. Poot va prendre la position « dalot au vent ». Vous, vous suivez. Faites ce qu'on vous dit et tout ira bien. Des questions ?

Otulissa dressa une serre.

— Ezylryb, sauf votre respect, j'avoue que je suis surprise que nous sortions avant la nuit. N'y a-t-il pas un risque que les corbeaux nous attaquent ?

Ezylryb éclata de rire.

— Sauf ton respect, Otulissa, personne à part nous n'est assez fou pour mettre le bec dehors par un temps pareil !

Soren ne put se retenir de pouffer. Comme quoi il arrivait encore à rigoler avec le trouillomètre à zéro. D'un autre côté, il avait réussi à s'ennuyer au cours d'Elvan à un moment où il n'était pas tellement plus fier. Avec toutes ces émotions contradictoires, il allait finir par devenir dingue.

Dans un cri retentissant, le petit duc à moustaches déploya ses ailes et s'éleva dans le tourbillon de grêle.

Ils survolèrent la mer d'Hoolemere. L'orage était si violent, les trombes de pluie si torrentielles, qu'ils distinguaient à peine la surface de l'eau. En revanche, ils entendaient les vagues se soulever et s'abattre avec furie. Otulissa volait près de Soren.

— Je n'aurais jamais cru qu'un ryb puisse à ce point manquer de bon sens. C'est totalement irresponsable. Je vais devoir en parler à Boron et Barrane. J'ose espérer qu'ils n'approuveront pas de telles méthodes.

Soren, lui, n'aurait jamais cru qu'Otulissa puisse traverser un tel déluge sans cesser de parler. L'exercice réclamait une attention sans faille. Le vent venait de toutes parts et il était constamment bousculé par des rafales contraires. Martin, le nyctale, n'était qu'une tache floue devant lui. Étant le plus petit, il avait ordre de voler dans le sillage d'Ezylryb, où il serait plus à l'abri.

La vigilance était de rigueur. Un instant, les chouettes se maintenaient sans effort à plusieurs dizaines de mètres de hauteur, et aussitôt après, un trou d'air menaçait de les entraîner dans des chutes spectaculaires. En plus, avec la grêle et la pluie, Soren devait se servir en permanence de ses paupières transparentes, ces membranes spéciales qui permettaient de se protéger des débris en suspension dans le ciel. Grand Glaucis ! Pourvu qu'elles ne s'usent pas complètement dans ces conditions ! Pas étonnant qu'Ezylryb louche ! Avec ce genre d'intempéries, il y avait de quoi épuiser ses trois paires de paupières.

— Oh, c'est pas vrai ! siffla Otulissa.

— Quoi encore ? grogna Soren, qui était fort occupé à essayer d'anticiper le prochain creux ; il en était presque à l'attendre avec impatience pour décrocher de son encombrante camarade.

— Il parle avec des mouettes !

— Qu'est-ce que ça peut faire ?

— Hein ? Qu'est-ce que ça peut faire ? Soren, à l'évidence, tu viens d'une famille très convenable et tu es bien éduqué. Tu devrais savoir que les mouettes sont les moins fréquentables des oiseaux. Excuse ma grossièreté, mais elles sont la lie du monde aviaire. Ce sont des racailles, vulgaires et tapageuses. Il faut éviter à tout prix de les côtoyer. Et regarde-le là-bas, qui cause et qui plaisante avec elles!

— Peut-être qu'ils se refilent des tuyaux sur le temps.

— Pff, quelle idée!

Elle se tut pendant quelques secondes – un silence étonnamment long chez elle.

— Je crois que je vais aller lui demander ce qu'il fabrique.

— Otulissa, ne le dérange pas.

— Tu l'as entendu: il a précisé que si nous avions des questions à poser, il ne fallait pas hésiter.

Sur ces mots, elle partit aborder leur professeur.

— Pardonnez-moi, Ezylryb, je suis très curieuse de savoir pourquoi vous... comment dire... pourquoi vous parliez avec des mouettes? Pour glaner des informations sur la météo, peut-être?

— Avec des mouettes? Oh! non! Ces volatiles sont d'une bêtise crasse et d'une paresse incurable.

— Alors pourquoi prenez-vous la peine de vous entretenir avec elles?

— Pour échanger des blagues grasses, pardi!

— Quoi? glapit Otulissa.

— Oui, elles adorent les blagues de mous du croupion, figure-toi ! Comme quoi, au moins, elles ont de l'humour. Elles m'en réclament toujours de nouvelles. Et je dois admettre que je leur en pique quelques-unes aussi. Mais ces maudits oiseaux sont si stupides que, les trois quarts du temps, ils ne se souviennent pas de la chute. Très frustrant.

— Oh ! Ça, par exemple !

— Tu sais, certaines étaient vraiment drôles, Otulissa, pépia Martin.

— Allons, petite, ne va pas t'énerver et te mettre les plumes en pelotes pour si peu. Occupe-toi de tes affaires et retourne à ta place. Nous approchons de la gouttière. Et c'est maintenant que la partie de plaisir va commencer.

Poot poussa un hululement rauque et tonitruant.

— Youhouhouhou ! Ouais ! C'est parti, camarades. On va traverser l'ourlet de la gouttière. Suivez-nous !

« L'ourlet » était un mur de turbulences qui séparait la gouttière de la rigole. Il fallait donner une impulsion puissante pour le franchir. Soren prit un virage incliné sur l'aile et s'engagea derrière Martin, lui-même précédé du vétéran Poot. Le minuscule nyctale allait passer sans peine, grâce à l'effet d'aspiration provoqué par la vitesse de Poot. Ruby, elle, avait déjà réussi le test. Elle se stabilisa dans la gouttière avec un cri triomphant. Soren ne tarda pas à comprendre pourquoi elle jubilait tant : au cœur de la tempête, tous les vents semblaient se mêler pour former une immense rivière bouillonnante. Adieu, grêlons, et bienvenue au paradis ! En inclinant légèrement les ailes vers l'avant et en courbant la queue sous un certain angle, on glissait sur ces flots abondants comme sur un gigantesque toboggan. C'était grisant.

— Oh ! par mes vieux os ! Ça, c'est la vraie vie !

Ezylryb avait abandonné son poste pendant quelques secondes pour batifoler entre Soren et Otulissa. Euphorique, il régurgita une pelote dans le fleuve invisible.

— Accompagnez-moi jusqu'aux dalots, mes amis ! On va s'élancer par-dessus et faire le Bang Boum dans la rigole ! Vous allez adorer !

— De quoi parle-t-il ? râla Otulissa. Il aurait dû nous donner une liste de vocabulaire. Qu'il est mal organisé !

« Une liste de vocabulaire ? À quoi bon ? » pensa Soren. Quel intérêt de connaître un mot sans avoir auparavant fait l'expérience de ce qu'il désignait ? Le gésier de Soren tressautait d'excitation. C'était fantastique ! Il ne s'était jamais autant amusé.

— C'est parti ! cria Ezylryb. Je veux tous vous voir fendre l'air à toute allure, puis sauter par-dessus les dalots en rabattant la queue sur les serres.

— Oh ! ciel ! hurla Otulissa.

Soren frôla la crise cardiaque en assistant à la démonstration du ryb. Sa patte mutilée éclipsa un instant le globe lunaire. Il était sur le dos ! Puis il se redressa prestement et piqua dans la rigole.

Une étoile filante rouge le talonnait : Ruby réalisa un magnifique saut périlleux et rejoignit son professeur.

— Allez-y ! cria-t-elle. Ce n'est pas difficile !

— Pas difficile... maugréa Otulissa. Tu ne vas pas me dire qu'il est naturel pour une chouette de voler à l'envers ? Personnellement, je trouve la consigne aussi saugrenue que dangereuse.

Soren l'ignora et appliqua les recommandations d'Ezylryb. Il prit son élan, décrivit un arc de cercle vers les nuages sombres et les tourbillons de pluie glacée et, en un éclair, il se retrouva à l'endroit, à côté de Ruby.

— Très bien, le félicita le maître. À présent pousse sur

tes serres et oriente-toi avec la queue pour garder le contrôle.

Otulissa finit par se lancer à son tour, écumante de rage. Soren l'entendit marmonner au sujet d'un rapport qu'elle allait remettre à Barrane concernant cette activité scandaleuse.

— Oh! ferme ton clapet! lui ordonna Poot d'un cri perçant.

Une fois les élèves réunis, ils se mirent à tournoyer en faisant ce qu'Ezylryb appelait le Bang Boum. Alors, au beau milieu de la tempête, celui-ci entonna une chansonnette de sa voix âpre :

Nous sommes le squad de météo.
Qu'il vente, qu'il pleuve ou qu'il fasse beau,
Nous sortons braver les corbeaux,
Les éperviers et les gerfauts.
Rien ne nous arrête, ni l'ouragan,
Ni le blizzard, ni le gros temps.
Nos gésiers frémissent de joie
Quand dans le ciel on aperçoit
Une pluie de grêle aveuglante

S'abattre sur les déferlantes.
Alors, sans hésitation,
Et sans la moindre appréhension,
Nous fonçons droit dans la tempête
Faire un concours de galipettes.
Notre audace est légendaire
Nous sommes preux et solidaires ;
Quand le danger frappe à la porte,
Nous nous prêtons toujours main-forte.
Amis, sonnez la cavalcade,
Voici venir la crème des squads !

18

Le dilemme de Mme Pittivier

— Vous avez volé sur le dos ? s'écria Primevère. Impossible !

— Ce n'est pas aussi compliqué qu'on peut le penser, répondit Soren, tout excité. En réalité, il faut juste y croire et avoir confiance en soi, comme quand on apprend à voler.

— Mais quand même, la tête en bas ? insista Gylfie.

— À ton avis, une chouette lapone baraquée comme moi pourrait y arriver ? demanda Perce-Neige.

— Bien sûr, si les conditions s'y prêtent. Le problème, c'est que tu ne peux pas essayer à moins d'être dans la gouttière d'une tempête.

— La gouttière ? Première nouvelle ! Les tempêtes ont des gouttières, maintenant ? J'en ai pourtant croisé une tripotée mais...

Perce-Neige détestait reconnaître ses lacunes. Il était vantard, sans toutefois avoir l'insupportable petit air de supériorité qui caractérisait Otulissa. Il se faisait réprimander à chaque leçon, car il cherchait sans arrêt à surpasser les prouesses de ses rybs, ce qui avait le don de les agacer. Cependant, il avait « bon fond », comme disait Mme Pittivier. Son sens aigu de la loyauté n'avait pas d'égal. Spéléon résumait sa personnalité en une formule : « Il est soit votre meilleur ami, soit votre pire ennemi. »

— Oui, Perce-Neige, tout le monde sait que tu connais des milliers de trucs, répliqua Gylfie en tentant de dissimuler sa mauvaise humeur. Il n'empêche que tu as pu passer à côté de la gouttière d'une tempête. Tu ne t'es sûrement jamais retrouvé au cœur de la tourmente, comme Soren cette nuit.

— Oh ! j'ai traversé bien des tempêtes, Gylf'. J'ai pu dévaler une gouttière une fois ou deux en ignorant que c'en était une. Je veux bien t'accorder ça. Mais – sans vouloir te vexer, Soren –, l'ourlet, les dalots, tous ces machins, c'est rien que des mots.

— Oui, tu as raison. D'ailleurs, Otulissa a fait toute une

histoire parce que Ezylryb n'avait pas distribué de liste de vocabulaire avant qu'on décolle.

— Oh! franchement, soupira Primevère. Vous aviez déjà rencontré une chouette aussi pénible?

— Bon, je vous laisse bavarder. Moi, je vais à la bibliothèque. J'ai des devoirs: on doit lire des bouquins sur la structure des vents, des blizzards et des ouragans, pour approfondir les notions qu'on a abordées cette nuit. On va avoir un test.

— Un test pratique ou une interro sur les livres? demanda Gylfie.

— Une interro. J'ai promis d'aider Ruby. Elle est superdouée en vol, mais elle a plus de mal avec la lecture et l'écriture.

— L'important, à mon avis, c'est qu'elle sache manœuvrer dans les nuages, affirma Perce-Neige.

— Le vieux sage a parlé! se moqua Gylfie.

Mme Pittivier tressaillit, comme souvent lorsqu'elle entendait une remarque déplaisante à table. Soren prit alors conscience qu'elle n'avait pas décroché un mot de tout le repas. Ce n'était guère son habitude. Il était d'autant plus surpris qu'il s'attendait à ce qu'elle partage son enthousiasme après cet extraordinaire cours de météo. Pourvu qu'il n'y ait rien de grave ! S'il lui restait du temps après ses devoirs, il irait lui rendre visite dans son creux.

Il quitta le réfectoire en fredonnant gaiement l'hymne de son squad. « C'est fou comme la vie peut basculer rapidement », songea-t-il. La veille, il était revenu déprimé du cours d'Elvan, convaincu qu'il ne pourrait rien lui arriver de pire – à moins, bien entendu, de retourner à Saint-Ægo décortiquer des pelotes au *pelotorium*. Et aujourd'hui, il était membre de la crème des squads.

En entrant dans la bibliothèque, il aperçut Ezylryb derrière son tas de chenilles séchées et sautilla jusqu'à lui.

— Bonjour, Ezylryb. La classe était géniale cette nuit. Vous croyez qu'on aura une autre tempête bientôt ? Ou une tornade, peut-être ? Poot dit qu'on s'amuse encore plus dans les tornades.

Le hibou leva à peine le bec de son livre, se contentant de répondre par un grognement peu aimable. Soren recula d'un pas, décontenancé. Ce ryb était une vraie girouette ! Il s'était montré guilleret et même blagueur quelques heures auparavant, et le voilà redevenu Ezylryb le grincheux, le vieux rat de bibliothèque distant et bougon.

— Tu ferais mieux d'étudier pour ton test. Et Ruby a besoin d'assistance, là-bas. Une navigatrice hors pair, mais quand il s'agit d'épeler un mot, vaut pas une pelote.

Soren s'éloigna et rejoignit sa camarade, qui s'escrimait à déchiffrer un ouvrage intitulé *Les phénomènes météorologiques et leurs structures : comment les explorer et les analyser sans risquer sa vie, par Ezekiel Ezylryb*.

— C'est trop difficile, Soren ! J'abandonne !

— Bien sûr que non. Une acrobate comme toi ne peut pas échouer à un simple test.

— Ce sont toutes ces phrases... Je navigue avec mon gésier, à l'instinct, mais les mots... Je ne les sens pas. À part quand Miss Plonk chante, et encore.

Soren cligna des paupières, un peu déconcerté.

— Écoute, Ruby, je ne crois pas que tu devrais essayer de comprendre ces mots dans ton gésier. Pour le moment, on va juste en apprendre quelques-uns par cœur, avec leurs définitions, pour l'interro. Je vais t'aider. Voyons voir.

Il jeta un coup d'œil aux pages ouvertes, où se bousculaient croquis et schémas de tempêtes, d'ouragans et de blizzards, puis il feuilleta le livre avec les serres.

— On va reprendre d'ici au chapitre sur la tempête. On sait déjà l'essentiel.

— Pour commencer, c'est quoi, un mille ?

Un grondement leur parvint de l'autre bout de la pièce :

— Le mille est une unité de mesure, qui équivaut à peu près à mille six cents mètres. Il sert à calculer une longueur, une distance, et cætera.

— Ça veut dire quoi, « et cætera » ? chuchota Ruby.

— Je ne pense pas que ce soit un terme crucial, présuma Soren. Bon, au moins, on connaît la signification de « mille ». C'est un début.

Ruby était intelligente, mais elle écrivait affreusement mal et la lecture n'était pas son fort.

— L'em... empa... empannage dans la ri... la ri...

— L'empannage dans la rigole.

— C'est quoi ?

— Ruby, c'est ce que tu as réalisé hier. Tu étais la seule à le réussir. Tu ne te rappelles pas ? Tu t'es servie du vent pour gravir l'ourlet et tu t'es mise aussitôt dans la bonne direction à l'intérieur de la rigole en utilisant ta queue. C'était magistral.

— Ah ! oui. Ça, tu veux dire ? fit-elle en se livrant à une imitation parfaite de son exploit de la veille.

— Voilà.

— Oh, je ne me souviendrai jamais du nom de cette figure. Il est trop tordu.

— Mais si, Ruby.

Otulissa fit son entrée dans la bibliothèque et piocha un autre ouvrage sur l'interprétation du temps, avant de s'installer à côté de ses camarades.

— Tu t'es fait changer de squad, alors, Otulissa ? murmura Soren.

Désespérée au retour de la classe d'Ezylryb, celle-ci s'était adressée directement à Barrane. Elle cligna des yeux et de grosses larmes perlèrent à ses paupières.

— Non ! Je suis coincée et je suis loin de voler aussi bien que vous. Je vais mourir, si ça se trouve !

Pour la première fois, Soren éprouva une sincère compassion à son égard. C'est alors qu'une chenille séchée atterrit pile sous le bec de la jeune femelle.

— Tu t'en sortiras très bien, petite. Les chouettes

tachetées ont une stupéfiante sensibilité aux changements de pression. Bien entendu, cela les rend un peu susceptibles et lunatiques. Je te suggère de consulter un texte intitulé : *Pressions atmosphériques et turbulences : un guide pour les interpréter.* Il a été rédigé par Strix Emerilla, une célèbre météorotrix du siècle dernier. J'ai toujours eu une chouette tachetée dans mon équipe, j'y tiens beaucoup, même si elles ne savent pas tenir leur langue.

Là-dessus, le vieux boiteux partit de la bibliothèque. « Ce sacré hibou, se dit Soren. Il est encore plus insondable que tous ses phénomènes atmosphériques. »

Otulissa mit bientôt la patte sur le livre que son ryb lui avait recommandé.

— Une Strix a écrit ça ? s'extasia-t-elle. Oh ! Incroyable ! C'est peut-être une parente à moi ? Pour devenir météorotrix, il faut posséder des sens très développés et précis. Je ne serais pas surprise qu'elle ait un lien avec ma famille. Ce sont des qualités innées chez nous, qui se sont affinées et épanouies au fil des générations.

« Oh ! Grand Glaucis ! Faites-la taire. » Soren jugea le moment idéal pour rendre visite à Mme P. avant le coucher.

— Oh, je ne sais pas. Franchement, je ne suis plus sûre de rien.

Il s'était arrêté à l'entrée du creux que Mme P. partageait avec ses deux collègues serpents. La profonde tristesse qu'il perçut dans sa voix l'alarma. Elle n'avait pas coutume de gémir de la sorte. Elle était plutôt d'un naturel optimiste et enjoué. Il décida d'écouter quelques instants sans se manifester.

— La guilde des harpistes est la plus prestigieuse et je pense être destinée à en faire partie, disait une de ses compagnes de chambrée. Je le pressens, de la même façon que les chouettes ont des intuitions grâce à leur gésier. Je sais bien que je n'en ai pas, mais...

— Encore heureux! Quelle idée! la coupa Mme P., outrée. Il serait très présomptueux de nous comparer à ces sublimes oiseaux. Nous ne sommes pas de leur monde, ne l'oublions pas.

Voilà qui ressemblait plus à cette bonne vieille Mme P.! Elle n'était pas complexée. Non, elle estimait au contraire être une excellente domestique. Cependant, elle considérait que le devoir et la vocation des individus de son espèce étaient de servir les volatiles les plus distingués qui soient et de s'acquitter de cette noble tâche du mieux possible.

— Madame P., poursuivit son interlocutrice, vous devez bien avoir une préférence au sujet des guildes ?

— Oh, plus qu'une préférence... Lorsque nous avons eu l'opportunité de nous essayer à chacune des activités proposées, j'ai su aussitôt que j'aspirais à rejoindre les harpistes. Tandis que je m'étirais entre les cordes, montant les gammes, sautant d'une octave à l'autre, les vibrations m'habitaient. C'était si passionnant de... comment dire... de chercher à unir la mélodie de l'instrument à la voix de Miss Plonk. Bien accordés, le son de la harpe et son chant produisent une harmonie puissante et merveilleuse.

Soren cligna des yeux. À n'en pas douter, Mme P. avait quelque chose en elle de beaucoup plus sensible qu'un gésier.

— Je dois sortir, annonça sa colocataire. Je vais faire un saut chez Octavia pour lui apporter quelques baies de symphorine bien mûres. Elle les adore et, comme vous savez, c'est elle qui s'occupe du nid de Miss Plonk. Ça ne peut pas faire de mal, hein ? Vous voyez ce que je veux dire.

Sur ce, elle se glissa hors du creux.

Caché dans un coin, Soren entendit Mme P. grommeler :

— Quelle impudence ! D'abord, elle prétend avoir un gésier, et ensuite elle file chez Octavia pour acheter sa complicité avec ses baies. Quel toupet !

Il décida de ne pas la déranger. Il avait une meilleure idée : à la place, il irait saluer Miss Plonk et lui confierait en passant qu'il y avait au Grand Arbre de Ga'Hoole un serpent extraordinaire, doté d'un grand cœur et d'une – quelle était cette expression qu'employait souvent Mme P. ? – oui, d'une indéniable « fibre artistique ».

19
Les appartements de Miss Plonk

— Excusez-moi de venir à l'improviste, Miss Plonk. Euh... Je sais que ce n'est pas très convenable de ma part...

Soren avait beaucoup de mal à rester concentré, car jamais de sa vie il n'avait vu un tel creux. Les mobiles de verre accrochés au plafond, ou à des tiges piquées dans les interstices de l'écorce, inondaient les lieux de reflets multicolores. Une douce lumière s'infiltrait par plusieurs ouvertures. Il remarqua des coupons de tissu brodés de motifs magnifiques et une petite alcôve remplie de rangées de perles lumineuses. Soren avait l'impression d'être submergé par un tourbillon de couleurs. Et au milieu de cet arc-en-ciel se tenait une créature d'un blanc éclatant : Miss Plonk.

L'effraie, intimidée, ravala sa salive et s'efforça de ne plus détourner le regard.

— ... seulement Mme P. est assez réservée, elle n'oserait jamais venir vous voir.

— Mme P. ? Je ne crois pas la connaître.

— Elle est arrivée avec moi. C'est le serpent domestique qui travaillait autrefois pour ma famille.

— Ah, oui. Et tu dis qu'elle veut faire partie de la guilde des harpistes ?

— Oui, madame.

Soren se sentait un peu stupide maintenant. Tant pis. Après tout, il était là pour Mme P. Elle désirait tellement cette place. Miss Plonk parut lire dans ses pensées.

— Il ne suffit pas de vouloir.

— Non, je sais : vouloir n'est pas pouvoir.

Miss Plonk hocha la tête.

— Tu es la sagesse même, mon garçon. Explique-moi : pourquoi, à ton avis, Mme P. a-t-elle envie de devenir harpiste ?

Une idée germa soudain dans l'esprit de Soren.

— Eh bien, j'imagine que pour certains serpents c'est surtout une question de prestige, répondit-il d'un air songeur. Car cette guilde accueille des serpents qui ont, pour la plupart, servi des familles anciennes et distinguées. Mais ce n'est pas le cas de Mme P.

— Ah, non ? fit Miss Plonk, surprise.

Aurait-il dit quelque chose de déplacé ? Il inspira à fond. De toute façon, il était trop tard pour se dégonfler.

— Non, selon moi, elle s'en fiche comme d'une pelote.

Le harfang cligna des yeux. Malgré la peur d'être ridicule, Soren poursuivit :

— Mme P., elle, a des motivations artistiques.

— Voilà qui est intéressant. Qu'entends-tu par « artistiques » ?

« Oh, zut ! Je n'en ai aucune idée. » Il était au bord de la panique. Miss Plonk patienta.

— Eh bien, Mme P. a raconté que, lorsqu'elle avait essayé la grande harpe, elle avait voulu accorder ses notes à votre voix, afin qu'ensemble, la mélodie de l'instrument et votre chant produisent une harmonie puissante et merveilleuse. Ce sont ses propres mots. Voilà pourquoi je considère qu'elle est une artiste.

Un long silence régna dans les appartements. Puis Miss Plonk soupira en attrapant un mouchoir confectionné par les dentellières de l'Arbre. Elle moucha son bec et se tamponna les paupières.

— Tu es une petite effraie très étonnante. Rentre, à présent. C'est presque l'heure de la berceuse et tu dois te reposer. Il paraît que tu te débrouilles très bien avec le squad de météo.

Soren allait lui demander comment elle était au courant, quand il se rappela qu'Octavia s'occupait à la fois du creux de Miss Plonk et de celui d'Ezylryb.

— Ouste, envole-toi.

— Oui. Merci de m'avoir consacré un peu de temps, Miss Plonk, lança-t-il en se retirant.

Dès qu'il fut parti, elle appela Octavia.

— Octavia ! Octavia, venez par ici !

La dame serpent descendit mollement de la branche autour de laquelle elle s'était tenue enroulée pendant l'entretien.

— Avez-vous entendu ?

— Oui, madame. Il semble que nous ayons trouvé notre sol bémol !

20

Au feu !

Ezylryb était perché au sommet du Grand Arbre de Ga'Hoole, d'où il scrutait un beau ciel bleu de début d'été. Il n'avait presque pas bougé depuis quarante-huit heures, pas plus que son fidèle second qui était resté à son côté. Ensemble, ils étudiaient les mouvements des nuages au-delà de la mer d'Hoolemere.

— Rassemble le squad, ordonna-t-il soudain. Je vois des tas de choses intéressantes à observer.

— Hein ? Quoi ? marmonna Soren quand Poot vint le secouer.

Il s'étira, encore tout engourdi de sommeil.

— C'est le milieu de la journée, Poot. On est censés dormir.

— Pas maintenant, petit. Une leçon importante va

avoir lieu. Direction la cime de l'Arbre. Le cap'taine vous veut tous là-haut. Et qu'ça saute !

« Que se passe-t-il ? » s'affola Soren. Poot n'appelait Ezylryb « cap'taine » que lors des missions. Or, le temps était au beau fixe et la température, stable. L'époque de la pluie d'or avait débuté et une magnifique peau jaune vif protégeait à présent les baies emmêlées aux branches du Grand Arbre.

Lorsque Soren atteignit les ramures les plus hautes, ses camarades somnolents étaient déjà rassemblés. Martin bâillait à s'en décrocher les mandibules. Seule Otulissa était alerte, débordante d'énergie, criblant déjà l'atmosphère de ses commentaires sur la formation des nuages. Ruby régurgita sa pelote du matin et jeta un regard si las à Soren qu'il craignit un instant qu'elle ne tombe de la branche. Puis ils furent rejoints par Bubo et Elvan. Soren n'avait pas croisé le forgeron depuis un bon moment. Apparemment, celui-ci était rentré sain et sauf de sa mission de reconnaissance dans la région des Monts-Becs.

— Fourre-toi ça dans le gosier et tais-toi, Otulissa, grogna-t-il en enfonçant un rat des champs dans le bec de la pipelette, la tête la première.

— Merci, Bubo, gronda Ezylryb. À présent, tout le monde : pourquoi sommes-nous ici ?

La patte d'Otulissa se dressa aussitôt, bien qu'elle eût encore le bec plein. Soren observa les trois adultes. Ils ne s'étaient encore jamais réunis devant le squad de météo. La raison en était évidente : finis les exercices avec les charbons ardents de Bubo ! Ils allaient affronter un incendie de forêt. Muets de terreur, les plumes plaquées contre leurs flancs, les jeunes attendirent les instructions. Le silence aurait été total sans les bruits de déglutition d'Otulissa. Une fois le rongeur avalé, elle murmura d'une voix chevrotante :

— Mais... je viens de manger. Comment je vais faire pour voler avec l'estomac plein ?

— Ne t'inquiète pas, répondit Ezylryb. On ne décolle pas tout de suite. Je vous ai fait monter afin que vous puissiez observer l'action du feu sur le vent et les nuages. D'ici, vous percevrez très bien ces changements. Vous voyez là-bas un incendie, au-delà de la mer d'Hoolemere. Nous allons la traverser et nous installer sur les hautes falaises qui se dressent face à nous, qui nous fourniront un excellent camp de base. Nous y resterons un jour ou deux, puis nous rentrerons.

Ils occupèrent le reste de la matinée à étudier les mouvements des nuages. Les jeunes apprentis avaient déjà assimilé pas mal de vocabulaire compliqué, mais ils se rendirent compte qu'ils n'étaient pas au bout de leurs peines en entendant les rybs discuter de « différentiels de pression », d'« inversions thermiques » et de « courants de convection ».

Vers le milieu de l'après-midi, ils purent se retirer pour profiter d'une brève sieste. Au crépuscule, on les réveillerait et ils s'envoleraient au-dessus des flots d'Hoolemere. Tandis qu'ils redescendaient vers leur chambre, Soren interrogea Ruby :

— Tu es nerveuse ?

— Il faudrait être débile pour ne pas avoir la frousse.

— Sauf que toi, tu es la meilleure navigatrice.

— Et tu mesures deux fois ma taille, ajouta Martin.

— Qu'est-ce qui t'effraie le plus ? demanda Soren.

— Sans hésitation : ce truc qu'ils appellent la « couronne de feu » – tu sais, quand le feu saute d'un arbre à l'autre. Je n'ose pas imaginer les conséquences. Comment tu veux voler au travers, avec les trous d'air et les colonnes de courant chaud ?

— Techniquement, expliqua Otulissa, c'est à cause de la présence de certains végétaux très « combustibles », comme on dit, et qui propagent le feu dans le sens vertical.

— Imaginez-moi, reprit Martin, en train de chercher de petites braises par terre, et être tout à coup aspiré jusqu'en haut à cause de mon poids.

— Nous devrons tous passer du temps au sol, indiqua Soren. Cela pourrait arriver à n'importe lequel d'entre nous, gros ou petit.

Martin n'eut pas l'air très convaincu.

Chaque membre de l'équipe s'était déjà spécialisé dans un type de charbon à collecter. Ruby, la plus à l'aise pour manœuvrer en vol, était responsable des braises en suspension dans l'air et dispersées dans les parties supérieures des colonnes thermiques. Soren et Otulissa étaient affectés à une position intermédiaire tandis que Martin évoluait au sol – même si, en effet, ils devraient tous s'acquitter d'une partie de leur travail à terre.

Soren s'émerveilla de la différence entre ce voyage et le souvenir de sa première traversée d'Hoolemere, six mois auparavant. Alors, le blizzard soufflait rageusement et le monde n'était qu'un tourbillon de flocons. Aujourd'hui, l'air était léger, la mer calme, et seules quelques crêtes d'écume blanche ressortaient sur le bleu du paysage. Les mouettes plongeaient dans les derniers rayons du soleil couchant. De jolis poissons se pourchassaient à la surface de l'eau, jetant par instants des éclairs argentés. Pourtant, à mesure qu'ils approchaient du rivage, ils sentirent que cet univers paisible et idyllique dissimulait un grand chamboulement. Bien que Soren et ses compagnons ne soient dotés que d'un odorat médiocre, ils flairaient l'odeur âcre qui s'accentuait.

Ils se posèrent sur une saillie, au flanc de hautes falaises. Ezylryb désigna de sa patte à trois griffes les nuages qui les surplombaient.

— Ceux-ci s'appellent les « nuages de Ga'Hoole ». Savez-vous pourquoi ?

Otulissa leva une serre.

— Parce qu'ils ont la forme des graines qu'on trouve dans les fruits des arbres de Ga'Hoole.

— Exact, mam'zelle.

— Elle ne s'arrête donc jamais, soupira Martin.

À l'évidence, ce dernier était très nerveux, plus que les autres. Soren compatissait : il était le plus petit de l'équipe, c'était normal qu'il ait la frousse.

— Ne te tracasse pas, Martin. Tu vas t'en sortir.

— Tu es gentil, Soren, mais tu réalises que je suis le premier petit nyctale de l'histoire à intégrer le squad des charbonniers ?

— Cela prouve que les rybs ont confiance en toi.

— Et s'ils se trompaient ? couina-t-il, désespéré.

Pendant ce temps, Ezylryb continuait son exposé sur les nuages de Ga'Hoole.

— La raison pour laquelle ils ont un sommet arrondi est la suivante... Non, à vous de me le dire.

Une fois encore, Otulissa se porta volontaire.

— C'est logique, une règle de physique élémentaire. J'ai lu quelques pages à ce sujet dans le traité d'Emerilla, la célèbre météorotrix – une chouette tachetée, d'ailleurs.

Elle baissa les yeux, adoptant une attitude criante de fausse modestie.

— Venons-en au fait, aboya Ezylryb.

— Oui, pardon... C'est parce que les vents qui soufflent au-dessus sont plus rapides que ceux qui circulent dessous.

Soren sentit Martin se mettre à trembler.

— Oh, Ruby va me confondre avec les braises volantes qu'elle est censée attraper, gémit-il, paralysé par la peur.

— Très bien. On s'installe ici et on attend, jusqu'à ce qu'on puisse pénétrer dans la forêt et procéder à l'extraction en toute sécurité. Alors Bubo et Elvan prendront le relais. Ils vous conduiront aux gisements de charbon les plus riches. Moi, je resterai ici pour observer le temps. J'irai vous voir à intervalles réguliers pour vous communiquer mes rapports. Obéissez aux instructions et personne ne se blessera. Ruby et Poot se chargeront du niveau supérieur. Elvan et Otulissa de l'étage intermédiaire, et Soren volera bas, afin de couvrir Martin qui progressera au sol. Bubo et moi-même, nous nous tenons prêts en cas de besoin. Attention : gardez toujours un œil sur votre partenaire.

Il était près de minuit quand Ezylryb ordonna le

déploiement. Il avait déjà mené plusieurs vols de reconnaissance avec Poot.

— Nous envisageons la survenue d'une inversion thermique à l'est de la vallée, donc nous n'enverrons personne dans cette direction. Les inversions thermiques créent des poches de fumée, et savez-vous ce qui se produit quand la fumée commence à grimper ?

Soren supposa que cela traduisait un changement de température. Il hésita à répondre, mais évidemment Otulissa fut la plus rapide.

— Otulissa, tais-toi, lança Ezylryb. Soren a beau ne pas être un parent de Strix Emerilla, j'ai l'impression qu'il a une réponse.

« Comment le sait-il ? Cela a-t-il un rapport avec cette histoire de "marque" ? » s'interrogea Soren.

— Je crois, avança-t-il prudemment, que l'élévation de la fumée indique une perturbation des courants.

Le hibou le regardait droit dans les yeux. La lumière de ses prunelles jaunes, au lieu de l'impressionner, l'aida à éclaircir ses idées. Il gagna en confiance et se représenta le phénomène sans difficulté

— L'air s'élève, tourne, créant une circulation vers le haut, et du coup le feu brûle de plus en plus fort.

— Exactement ! confirma Ezylryb. Et comment en es-tu arrivé à cette conclusion, gamin ?

— Je le vois dans ma tête. Je peux l'imaginer. Il me suffit de me fier à mon gésier et...

— Merci, petit, l'interrompit le hibou en se tournant vers les autres. Il existe de nombreuses façons d'apprendre : à travers les livres, les exercices pratiques et la méthode empirico-gésierique – bref, l'intuition. Elles se valent toutes. Mais peu d'entre nous ont la chance de pouvoir utiliser cette dernière, conclut-il en fixant Soren.

— Ça consiste en quoi, au juste ? s'enquit Otulissa, méfiante.

— C'est une sorte d'intelligence indépendante des capacités de raisonnement, qui permet de percevoir immédiatement la vérité et d'analyser très vite les situations. On ne peut pas l'acquérir par un apprentissage. Mais on peut la développer en étant attentif et sensible au monde qui nous entoure.

« Alors je suis vraiment quelqu'un aux yeux de ce

vieux hibou, jubila Soren. Je suis presque aussi intelligent qu'Otulissa, et Ezylryb croit en moi !»

Les chouettes se dirigèrent en formation serrée vers une corniche proche de l'incendie. À la moitié du chemin, elles aperçurent d'épaisses couches de fumée, presque blanches sur le ciel nocturne, et des langues de feu qui dansaient dans l'obscurité. Ezylryb prit un virage serré sur l'aile et atterrit, suivi des élèves. Bubo et Poot rejoignirent bientôt le squad, avec des souris et des campagnols frais emprisonnés dans leurs serres, si frais que certains étaient vivants et couinaient encore.

— Mangez léger, mais ne laissez aucun poil ! aboya Ezylryb.

— Pourquoi il appelle toujours ça des « poils » ? murmura Martin.

— Il paraît qu'il est né dans une région reculée : le pays des Eaux Boréales, expliqua Ruby. Ils ne parlent pas comme nous là-bas.

— Mais des « poils » ? C'est quoi, un poil ? s'entêta Martin.

— Eh bien, tu as la fourrure d'un côté, les plumes de

l'autre, et entre les deux, les poils. Enfin, je crois... Tu veux que je demande à Otulissa?

— Non! s'écrièrent en chœur Soren et Martin.

Moins d'une heure s'était écoulée quand Bubo descendit de son perchoir.

— Parés à décoller?

Les charbonniers se tenaient en ligne sur le mince rebord de granit, fermement cramponnés à la roche. Ils déplièrent leurs ailes et attendirent l'ordre:

— En avant!

Bubo et Elvan s'envolèrent les premiers, suivis de Ruby et de Poot; ensuite vinrent Otulissa, Soren et Martin, et enfin Ezylryb, qui complétait la formation.

Une vague de chaleur les submergea. Si les jeunes avaient anticipé cette sensation, le bruit, en revanche, les prit au dépourvu. Un rugissement monstrueux leur perça les tympans. Soren n'avait jamais rien entendu de semblable. Bubo et Elvan les avaient préparés à tout, sauf à cela. Ils étaient mis en garde contre les violents courants ascendants, les dangereux trous d'air et même le plus redouté des pièges tendus par le feu: l'effet pyrobolant. Celui-ci se produisait lorsqu'un oiseau était ébloui par la beauté fatale des flammes au point d'être pétrifié et de perdre tout instinct de vol. Les ailes bloquées, il piquait dans les orties, en somme. Et s'il était à terre, face à un embrasement spectaculaire, il ne parvenait tout simplement plus à décoller ; ses ailes pendouillaient, inertes, comme mortes. Ils ignoraient cependant qu'en plus de tous ces risques, un terrible vacarme les assourdirait.

— Vous vous habituerez, assura Elvan en hurlant pour être entendu par-dessus les rafales. C'est toujours un choc au début. Il n'y a pas de mots pour décrire ça.

Une nappe de feu grignotait un flanc de coteau. Les courants thermiques frappaient aussi brutalement que des colonnes de pierre. Martin et Soren furent propulsés sur au moins six mètres en hauteur, puis ils franchirent le sommet d'une colline et chutèrent d'une dizaine de mètres pour rebondir sur une brise moelleuse et fraîche, comparée à la fournaise qu'ils venaient de traverser. Bubo, qui avait volé jusque-là en éclaireur, loin devant, fit demi-tour.

— Il y a d'excellents gisements par là. Vous allez tous pouvoir vous entraîner.

« Voici l'heure fatidique, pensa Soren. Nous allons enfin devenir de vrais charbonniers. » À cet instant, un objet volant écarlate passa à toute allure dans le ciel.

— Belle prise, Ruby ! cria Poot.

— Cette femelle hibou des marais est une véritable surdouée ! s'exclama Elvan, épaté.

Ruby vira vers les seaux à charbon que Bubo avait déposés sur la corniche. Il avait fabriqué ces récipients dans sa forge et allumé du petit bois au fond pour garder les tisons au chaud.

— Très bien. Martin, à ton tour ! commanda Elvan. Soren, tu le couvres.

Le petit nyctale plongea en spirale. Il avait deux missions essentielles : récolter des cendres avec le bec, pour les verser ensuite dans un petit pot spécialement destiné à cet usage qu'Elvan tenait dans ses serres, et dresser des rapports sur la quantité et l'emplacement des gros charbons dont Soren et Otulissa se chargeraient.

Soren planait, l'œil rivé sur le minuscule nyctale. Il avait fini par se faire au bruit. Maintenant, il parvenait même à distinguer des sons très faibles derrière les mugissements fracassants, tels que les battements de cœur de Martin, qui s'accéléraient à mesure qu'il se rapprochait du sol. Soren espérait de tout son gésier et de toute son âme que son copain s'en tirerait sans une égratignure.

— Otulissa, ne t'écarte pas de ta position! lâcha Elvan d'un ton sec.

Ruby venait d'attraper un second charbon rougeoyant.

— Mais tous les bons morceaux vont vers le haut! Ce n'est pas juste!

— Cesse de te plaindre. Tu veux qu'on te renvoie à la corniche?

Soren ne leur accordait pas la moindre attention. Il restait focalisé sur Martin. Avec la distance, on aurait dit une fourmi. Comme des volutes de fumée le dérobaient à sa vue, Soren descendit plus bas.

Le voilà! Il remontait à une vitesse folle!

— Il est chargé à bloc! annonça Bubo en se glissant à côté d'Elvan.

En effet, les cendres débordaient de son bec. Son visage était taché de suie, mais dans ses prunelles brillait une lueur aussi vive que l'incendie qui ravageait la forêt.

— J'ai réussi ! J'ai réussi !

— Bravo, p'tit gars, fit Bubo en lui ébouriffant les plumes du crâne avec ses griffes.

— J'ai hâte d'y retourner !

— Minute, papillon, hulula Elvan. D'abord, ton rapport.

— Il y a des morceaux aussi gros que des pelotes en amont de l'endroit où j'ai atterri.

— Formidable, répondit le professeur, avant de s'éloigner pour discuter avec Bubo et Ezylryb.

— Soren ! C'est génial, je te jure ! Une fois en bas, je n'avais plus peur du tout. Je ne peux pas te décrire ce qu'on ressent quand on prend les cendres dans son bec... c'est...

— C'est dégoûtant, et en plus ça rend soûl, intervint Otulissa. Si, c'est vrai : je l'ai lu dans un livre. Tu devrais te méfier. Strix Emerilla écrit qu'au bout d'un moment, certains charbonniers sont si enivrés qu'ils ne voient plus le danger.

— En tout cas, quand on les attrape et qu'on s'envole avec, on éprouve un sentiment étrange et... puissant.

— À toi, Soren. Fonce ! commanda Elvan.

— Et moi ? chouina Otulissa.

— Ton tour viendra quand on te le dira, beugla Bubo.

Soren décrocha en vrille. Une rafale tenta de le dévier de sa trajectoire, cependant il avait pris assez de vitesse pour la traverser sans peine. Le paysage au sol était curieux. Des squelettes d'arbres calcinés griffaient la nuit de leurs doigts noueux et des charbons étaient disséminés partout, comme des cailloux fluorescents. Il devait travailler vite, mais sans précipitation, en avançant d'un pas régulier. Comment Martin avait-il dégoté si vite des cendres d'une taille parfaite pour son bec ? Grand Glaucis, ce serait vraiment la honte s'il revenait bredouille ! Bubo et Elvan avaient insisté sur le fait qu'un jeune charbonnier avait souvent du mal à repérer les charbons adéquats dans ses débuts, et que ce n'était pas grave. Mais Soren savait qu'il se sentirait humilié s'il échouait.

Soudain un funeste craquement retentit. Face à lui, les arbres se changèrent en torches géantes, tandis que les cimes s'enflammaient l'une après l'autre. La couronne ! Le pire cauchemar de Ruby était en train de prendre forme. Une force d'attraction puissante lui fit dresser les plumes sur la tête. Allait-il être aspiré ? Il s'imagina transformé en pelote de feu. Avec sa chance, Otulissa allait l'attraper au vol. « Quelle importance ? De toute façon, je serai mort. »

21

Hourra!

« J'en ai un! J'en ai un!» Soren se répétait cette phrase en boucle dans sa tête. Il s'éleva en spirale, sans effort. Non seulement il ne s'était pas brûlé, mais en plus il tenait dans son bec un magnifique spécimen de charbon qui diffusait dans son corps un sentiment de bien-être extraordinaire. Le moindre de ses os creux, la moindre tige de plume en lui débordaient d'une énergie formidable et d'une joie intense. Il n'avait rien éprouvé de semblable depuis son premier vol. Mais il ne comprenait toujours pas comment il avait réussi. Il prit la direction de la corniche où se trouvaient les seaux, et se posa à côté de Martin.

— Tu as été génial, Soren! Quand j'ai vu que le feu se propageait en couronne et que tu étais soufflé du sol, j'ai failli piquer dans les orties.

— Mais que s'est-il passé ?

— Tu ne te souviens pas ?

— Pas vraiment.

— Tu as fait un looping arrière pour échapper aux projections et au moment où tu te redressais, une braise a volé. Bubo a dit qu'il n'avait jamais vu un charbon de cette taille à une telle hauteur. Et tu l'as saisi en pleine manœuvre ! C'était encore plus hallucinant que les acrobaties de Ruby.

— Par Glaucis, j'aurais bien aimé voir ça !

— Bravo, Soren ! Tu es le meilleur !

Otulissa atterrit à son tour, accompagnée de Ruby et de Poot. Elle lâcha une pleine becquée de tisons dans le seau.

— J'en ai attrapé plusieurs ! s'écria-t-elle fièrement. Mais ce n'est rien comparé à ta performance, Soren.

— Heu... merci, Otulissa... Je suis touché.

Elle pencha la tête et, cette fois, son visage exprima une modestie sincère. Comme elle restait muette, Martin adressa un clin d'œil à son ami l'effraie, l'air de dire : « Je me demande combien de temps cela va durer. »

Soren était curieux de savoir si Ezylryb avait assisté à

son exploit. Mais à son retour celui-ci se mit à transvaser des braises dans un nouveau récipient sans un regard pour son apprenti. « Oh ! pensa Soren. Je ne comprendrai jamais ce vieux chnoque. » Sa besogne accomplie, l'ancien, un charbon au bec, longea la rangée de seaux et s'arrêta pile devant celui de Soren. Une lueur inquiétante baignait son visage moustachu et ses yeux étaient tout rouges.

— Il paraît que tu as fait du bon boulot, ce soir, marmonna-t-il. Excellent, même.

Sur ces mots, il lâcha sa prise et partit retrouver Poot.

Une heure avant l'aube, ils levèrent le camp.

— Ne vous tracassez pas pour les corbeaux, les rassura Elvan. Ils n'attaquent jamais quand on transporte des charbons ardents.

L'heure était idéale pour voler. La température baissait ; une légère brise troublait l'eau et formait des dentelles d'écume à la surface. Tapis au fond des seaux, les charbons continuaient d'envoûter les chouettes. Le feu était peut-être l'élément le plus important au Grand Arbre de Ga'Hoole, celui qui rendait ce royaume, ou plutôt cette communauté, si unique. C'était en partie grâce à lui que des chevaliers se dressaient chaque nuit dans les ténèbres pour accomplir de nobles exploits. Le feu, amené à des chaleurs extrêmes par le soufflet de Bubo, permettait de forger des serres de combat en métal. Apprivoisé, il devenait une flamme de bougie à la lueur de laquelle les chouettes pouvaient lire et apprendre. Les jeunes charbonniers, pour la plupart à peine plus vieux que des poussins, étaient fiers de ramener avec eux un si précieux butin. Tandis qu'un soleil rouge sang se levait à l'est, Bubo entonna la chanson des charbonniers de sa voix grave et profonde :

Ramassons les charbons ardents,
Les braises vermeilles,
Les tisons crépitants.
Leur éclat n'est comparable
Qu'à celui du rubis,
Du rubis véritable.
Pour les cueillir, nous traversons le feu,
Nous plongeons dans la fumée.
Même les brasiers les plus furieux

N'ont pour les charbonniers aucun secret.
Nous traquons les charbons dans les forêts,
Sur les collines, au fond des gorges,
Nous remplissons des seaux entiers
Puis nous volons jusqu'à la forge.
On nous surnomme les «Becs souillés»,
Le squad des «Têtes brûlées»,
Nous sommes les charbonniers!

Ils rentrèrent peu après l'aurore. Leurs visages étaient sales, leurs becs noirs de suie, mais ils furent accueillis en héros. Après avoir livré leur récolte à la forge de Bubo, ils prirent part à un grand banquet organisé en leur honneur.

— Où est Perce-Neige? demanda Soren en s'asseyant avec Gylfie à la table de Mme Pittivier. Et Primevère?

Il mourait d'envie de leur raconter sa nuit. Pour une fois, il parviendrait peut-être à impressionner Perce-Neige.

— Ils sont partis en mission. Spéléon aussi. Les équipes de battue et de sauvetage ont été mobilisées. Il doit se passer un truc grave.

— Comme quoi ?

— Je ne sais pas trop. Boron est resté très discret à ce sujet. Apparemment, une foule d'oisillons ont dû être secourus d'urgence.

Pendant qu'ils bavardaient, Ezylryb s'était retiré dans un coin de la cantine avec Boron et Strix Struma. Ils avaient des mines soucieuses et le petit duc hochait vivement la tête de temps à autre. Poot tenta de s'approcher et fut aussitôt écarté.

Les rybs s'étant absentés, la table d'Octavia fut vite désertée. Martin et Ruby rejoignirent Soren et Gylfie autour de Mme P., bientôt suivis d'Otulissa.

— Nous allons enfin déguster un campagnol rôti, déclara cette dernière. J'ai l'impression de ne pas avoir mangé de viande cuite depuis une éternité.

— Ne me dites pas que vous avez besoin de vous réchauffer ! s'exclama Mme P., provoquant l'hilarité des convives. À présent, j'ai quelque chose à vous annoncer.

— Qu'y a-t-il ? s'enquit Soren.

— On m'a proposé de devenir membre de la Guilde des Harpistes, répondit-elle de sa douce voix.

— Oh, madame P. ! C'est génial ! s'exclamèrent-ils en chœur.

Soren explosa de joie en apprenant cette nouvelle. Peut-être sa visite à Miss Plonk n'avait-elle pas été inutile ? Son bonheur aurait été parfait si... Une fois de plus, la mélancolie envahit son esprit comme une nappe de brouillard. Églantine. Qu'était-il arrivé à sa chère petite sœur ? Si elle était toujours vivante, si elle n'avait pas été capturée par les criminels de Saint-Ægo, voire par des ennemis plus malintentionnés encore, elle serait assez grande pour voler aujourd'hui. Mais qui, parmi ses proches, aurait la chance de la voir évoluer dans les airs ? Sûrement pas ses parents. Mme P. perçut sa tristesse.

— Viens me voir ce soir, trésor. Nous papoterons un moment et tu me raconteras tes aventures.

— D'accord, promit-il d'un air distrait.

Il n'en fit rien. Il était si épuisé qu'il s'effondra de sommeil sitôt rentré dans son creux. Il n'entendit même pas la voix merveilleuse de Miss Plonk, ni ce son cristallin qui l'accompagnait ce matin-là, tandis que Mme Pittivier, en virtuose, glissait sur les cordes d'une octave à l'autre, pour atteindre le sol bémol. Miss Plonk ne regrettait pas sa décision. Cette Mme P. avait un toucher à la hauteur de ses propres talents de cantatrice.

Malheureusement, Soren ne profiterait pas du concert ce matin, trop occupé qu'il était à songer à sa petite sœur, ou peut-être trop las pour rêver.

22

Il pleut des oisillons !

Tandis que Soren jouissait d'un repos bien mérité, Perce-Neige plongeait en piqué dans le crépuscule, à des kilomètres de leur creux. Il avait formé une équipe avec Primevère et Spéléon. La chouette des terriers ratissait le terrain à la recherche d'indices – pelotes, plumes ou touffes de duvet – pouvant conduire à des oisillons blessés. Primevère, qui appartenait au même squad que Perce-Neige, volait en éclaireur, afin de déceler la présence d'éventuels ennemis. Quant à Perce-Neige, il était chargé des tâches les plus lourdes, qui consistaient le plus souvent à soulever les petits pour les ramener à leur nid, quand cela était possible.

Ce soir-là, leur sortie avait débuté comme une classique mission de routine. Toutefois, au cours de la première vague de reconnaissance, un nombre inhabituel d'oisillons gelés et hébétés avait été repéré au sol, apparemment loin de leur nid. Les sauveteurs avaient d'abord cru qu'ils avaient oublié de quel arbre ils étaient tombés, puis ils s'étaient rendu compte qu'il n'y avait aucun creux habité dans les bosquets voisins. Alors d'où venaient-ils? S'étaient-ils rebellés au cours d'une tentative d'enlèvement par des patrouilles de Saint-Ægo? Dans ce cas, pourquoi leurs ravisseurs n'avaient-ils pas tenté de les reprendre? Le mystère était entier. De plus, il ne s'agissait que de chouettes effraies. Pas seulement des Tyto alba, comme Soren, mais des effraies masquées, ombrées, ou des effraies des prairies.

Perce-Neige surveillait d'un œil Spéléon, qui courait dessous, et de l'autre Primevère, qui volait au-dessus de lui. Aucun guerrier ennemi n'ayant été aperçu dans les parages, il avait rétracté ses serres de combat. Il était indispensable de les rentrer avant d'attraper un poussin, afin d'éviter de le blesser. En revanche, une seconde chouette lapone volait toutes griffes dehors en faisant des rondes. Voilà comment procédaient les sauveteurs: ils s'organisaient en binômes, une chouette patrouillant avec l'armure complète tandis que son partenaire se tenait prêt à ramasser les oisillons en détresse. Quand ils en trouvaient un, ils l'accompagnaient jusqu'au point de rassemblement, un grand creux où une assistante de Barrane prodiguait les soins d'urgence. Cette nuit-là, ils étaient si nombreux que des renforts avaient été réclamés. Il fallait plus de sauveteurs, plus d'infirmières, plus de traqueurs – bref, plus de tout. La situation était ingérable. Jamais on n'avait secouru autant de victimes à la fois. Où étaient donc leurs parents ? Les pauvres malheureux semblaient atterrir de nulle part.

Perce-Neige discerna une effraie ombrée au sol. Ces oiseaux, ni noirs ni blancs, mais d'un gris cendré inégal, se confondaient parfaitement avec le paysage crépusculaire. La plupart des sauveteurs avaient des difficultés à les distinguer. Cependant, Perce-Neige, avec sa vision adaptée à la pénombre, était la chouette idéale pour ce travail. Après s'être assuré qu'il avait bien verrouillé ses griffes métalliques, il descendit à une allure vertigineuse, en espérant qu'il n'était pas déjà trop tard.

Il tâta le petit avec délicatesse, du bout du bec, et détecta un battement de cœur. Alors, en douceur, il le prit dans ses serres et décolla. L'oisillon remua à peine.

Perce-Neige remercia Glaucis de l'avoir gardé en vie, car il n'y avait rien de plus effroyable que de ramasser un poussin mort. Malgré leur faible taille, ils étaient très lourds, et l'image de leurs yeux écarquillés hantait longtemps l'esprit des sauveteurs. Barrane ne s'attendait pas à ce que ses élèves rencontrent des cadavres dès leur première sortie. Elle était bouleversée.

— Je ne comprends pas, ne cessait-elle de répéter. Cela ne devait pas se passer comme ça.

— Allons, petite ombrée, calme-toi, murmura Perce-Neige. On va te ramener avec nous et te remettre d'aplomb. Ne t'inquiète pas. Tu es dans les serres d'un champion!

Il ne put résister à l'envie de le lui prouver en lui faisant la démonstration de quelques-unes de ses plus belles manœuvres.

Chut, chut, mon petit,
Tu ne risques rien avec bibi.
Les méchants tremblent de peur devant le champion.
Perce-Neige, ça te dit quelque chose, non?
Tu peux avoir confiance:

Mon jeu de pattes tient à distance
Tous les vilains corbeaux
Et les nigauds de Saint-Ægo.
J'enchaîne une spirale,
Une vrille,
Une chandelle,
Et ô magie : la brume s'écarte devant mes ailes.

Au beau milieu de ce que Perce-Neige considérait déjà comme une des chansons les plus réussies qu'il ait jamais improvisées dans les airs, la jeune ombrée se mit à bredouiller faiblement :

— Oh ! Tyto ! Tyto ! Pourquoi, malgré notre pureté, nous avoir abandonnés ?

La chouette lapone baissa les yeux sur l'oisillon qui pendait mollement entre ses serres.

— De quoi tu parles ? Abandonnés ? Écoute, je ne suis peut-être pas Glaucis, mais je te promets que tu es en sécurité entre mes griffes. Bien plus qu'au sol.

Strix Struma apparut soudain côté au vent.

— Inutile d'insister, Perce-Neige. Tous ces petits ne font que débiter des absurdités sans queue ni tête. C'est très étrange. Cela ne ressemble pas aux effets du déboulunage. Ils parlent tout le temps de Tyto. Bubo et Boron sont en chemin, ainsi qu'Ezylryb.

— Ezylryb ? répéta Perce-Neige, surpris.

Le vieux hibou ne quittait le Grand Arbre qu'en cas de feu de forêt, ou pour étudier des phénomènes climatiques. Quel rapport avec ces oisillons pleuvant de nulle part ?

— Nous avons besoin d'aide. On assiste ici à des événements très étranges et nous devons élucider cette énigme.

Strix Struma négligea de préciser que seul Ezylryb, avec ses connaissances acquises au fil d'une longue vie consacrée à la lecture et aux voyages, serait peut-être apte à comprendre ce qui se tramait là. Elle était très préoccupée. Était-ce une épidémie ? Une malédiction ? Un envoûtement collectif ? Elle ne croyait pas à ces superstitions, mais les événements étaient de nature à troubler les esprits les plus rationnels.

— Conduis cette ombrée auprès des infirmières et si tu t'en sens le courage, effectue un aller-retour supplémentaire.

Sur ces paroles, elle fit une embardée et s'éloigna à tire-d'aile.

— Toutes ces sottises sur la pureté et les Tytos... Jamais de ma vie je n'avais entendu un tel torrent d'inepties ! grommela Elsie.

Elsie était une chouette rayée très gentille et assez boulotte, qui semblait avoir plus de plumes que son corps trapu ne pouvait en supporter. Elle était si vieille que les rayures sur ses ailes s'étaient presque effacées. Comme Matrone, son travail consistait à soigner et à nourrir les nouveaux venus au Grand Arbre. Pour la première fois dans l'histoire du squad de sauvetage, elles avaient toutes deux été appelées à se joindre à la mission.

— Viens par ici, Perce-Neige, cria Matrone. Je viens de rembourrer une place ; cette ombrée va y loger. Elsie, très chère, peux-tu me fournir un peu plus de duvet ?

Elsie eut l'obligeance de s'arracher quelques touffes de sous ses primaires. Perce-Neige cligna des yeux, sidéré. Un murmure sourd et constant s'écoulait du bec des oisillons. Ils récitaient une sorte de poésie, à laquelle la grosse chouette lapone ne comprenait rien.

Une effraie des prairies chantait d'une voix frêle :

— Existe-t-il plus bel oiseau, plus pur et plus précieux ? Ô ! Tyto, chouette suprême !

Une effraie masquée rendait hommage à un Tyto qui était « la vertu incarnée », tandis qu'une autre braillait :

— Tyto, toi dont l'éclat est sans pareil, montre-toi... Tyto, combien de temps les impurs continueront-ils à triompher ?

Bubo atterrit à côté de Perce-Neige.

— Plutôt déprimant, hein ?

— De quoi ils parlent ?

— Je n'en sais rien, mais on chantait des comptines plus joyeuses dans ma jeunesse.

Perce-Neige, Primevère et Spéléon s'envolèrent pour une dernière mission.

— Nom d'un petit moineau, soupira Primevère, vivement une bonne blague de mous du croupion.

Elle décrocha pour se placer dans sa position habituelle, puis Spéléon fit de même. Les dernières lueurs du jour s'étaient éteintes à présent et, faute de lumière suffisante, Perce-Neige devait guetter le signal de ses camarades avant de descendre secourir un survivant. Spéléon se rapprocha du sol. Sur les berges boueuses d'un ruisseau, il avisa les empreintes d'une chouette effraie : les trois doigts tournés vers l'avant étaient de longueur identique. Il suivit les traces. Elle ne devait pas être gravement blessée puisqu'elle pouvait marcher. Où était-elle allée ? Il remarqua une plume couleur chamois devant lui et en conclut que la chouette effraie était presque mature, mais apparemment incapable de voler. En continuant ses recherches, il finit par apercevoir une tache fauve au pied d'un genévrier. C'est alors qu'il entendit une série de cris prolongés et reconnut l'appel suppliant d'un Tyto Alba : « Coo coo ROOOO ! Coo coo ROOOO ! »

Il hulula le signal à son copain sauveteur. Tandis qu'il l'attendait, une émotion confuse naquit dans son gésier. En un éclair, Perce-Neige l'avait rejoint.

— Qu'est-ce que tu as trouvé ?

— Une autre effraie.

— Oui : une jeune Tyto Alba, confirma la chouette lapone.

— Comme Soren ! s'écrièrent-ils en chœur.

Spéléon se tourna vers son ami. Il osait à peine formuler l'idée qui le taraudait.

— Tu crois que ?...

— Rappelle-toi qu'un jour Soren nous a dit que sa sœur avait une tache près de l'œil, la même que leur mère, comme si un point avait glissé du plumage de son crâne.

— Oui, je me souviens.

— Regarde !

Ils s'avancèrent vers la jeune effraie, dont les cris faiblirent, puis cessèrent. Ils étaient si angoissés qu'ils en avaient le souffle coupé. Cette femelle avait en effet une tache minuscule près de l'angle interne de son œil. Rêvaient-ils ou était-ce vraiment...

— Églantine ? murmurèrent-ils.

23
Enfin !

— J'ai besoin de lombrics ici, d'urgence ! cria un serpent domestique.

— Le squad de ga'hoologie les déterre aussi vite que possible, répliqua une autre femelle serpent. Oh, miséricorde ! Regardez-moi dans quel état est cette effraie ombrée.

Du bout du nez, elle plaça le dernier ver disponible sur l'aile entaillée du petit.

— Pauvre gosse ! Allons, cesse de gazouiller, chéri. Tu gaspilles ton énergie.

Mais l'oisillon continua de déclamer un poème à la gloire d'un monde de pureté et de suprématie tytoesques.

Il n'y avait jamais eu autant d'agitation dans le Grand Arbre. L'infirmerie était bondée d'oiseaux blessés et hagards. Pas un occupant de l'Arbre n'avait un instant de répit. Ils allaient et venaient entre les branches, accompagnant les nouveaux, s'affairant pour dénicher des vers de terre frais afin de soigner les blessures, s'arrachant du duvet pour préparer de nouveaux nids, apportant tasse sur tasse d'infusion de symphorine. Les dames serpents étaient au bord de l'épuisement. Miss Plonk, qui participait peu aux corvées en règle générale, ne put supporter de voir ses harpistes aussi fatiguées et se mit à l'œuvre à son tour. Soren et Gylfie trimaient au moins aussi dur qu'elles. Ils assistaient les serpents et nettoyaient des creux afin d'y loger les blessés que l'infirmerie ne pouvait plus accueillir. Ils n'avaient guère le temps de s'interroger sur le drame qui s'était produit. Mais, bien entendu, des craintes et des soupçons terribles couvaient dans un coin de leur tête : était-ce un coup de Saint-Ægo ? Ou du « si seulement » ? Ces rescapés étaient-ils traumatisés par les monstres qui avaient assassiné la chouette rayée ? Au fond, quelle différence ? Ce qui était certain, c'est qu'une foule d'oisillons étaient morts et que d'autres agonisaient.

Foi de chouette, Soren ne comprenait rien à leur bla-

bla. Les mots sortaient en phrases incohérentes et décousues. Il remarqua qu'il y était toujours question de Tyto.

Un grand fracas signala l'arrivée d'une nouvelle fournée de poussins. Des oiseaux qui avaient coutume de se vanter de leur discrétion, cette nuit-là, battaient des ailes avec furie. Ils se fichaient pas mal de voler en silence. C'était le cadet de leurs soucis. Leur unique préoccupation était de conduire les blessés en lieu sûr, au plus vite.

— SO-REN!

L'écho de son nom lui fit lever les yeux du carré de terre qu'il picorait en quête de lombrics. Perce-Neige, flanqué de Primevère, de Spéléon, et suivi du reste des sauveteurs, l'appelait en hurlant.

— Soren, grouille-toi!

— C'est important, insista la chouette des terriers en piquant en vrille. Prends ce ver et amène-toi.

— Non! rouspéta un membre du squad de ga'hoologie. Tous les vers doivent aller dans la pile, par ordre du ryb.

— Bon, ce n'est pas grave: lâche-le, et viens.

Soren était intrigué: quel incident pouvait être assez important pour exiger sa présence immédiate? Spéléon le mena vers un creux qui venait d'être aménagé. Gylfie et Primevère étaient perchées à l'extérieur, sur une branche, immobiles. Soren eut un affreux pressentiment. Alors qu'il hésitait, Spéléon le poussa gentiment. L'ombre l'attirait presque malgré lui à l'intérieur. Il cligna des yeux et vit Perce-Neige près d'un tas de plumes claires éclaboussées de sang.

— Qu'y a-t-il?

Perce-Neige lui répondit de sa voix la plus douce :

— Soren, est-ce ta sœur, Églantine?

Son sang ne fit qu'un tour et il se mit à trembler. Par chance, Gylfie et Spéléon étaient là pour le soutenir. Il se força à inspecter la petite chose meurtrie. Ce n'était pas un poussin, mais une femelle emplumée et couverte de filets de sang. Une bulle rouge gonflait au bout de son bec tandis qu'elle s'évertuait à gazouiller.

— Non! C'est impossible! gémit-il.

Ses pattes se dérobèrent sous lui et il s'écroula à côté d'elle.

— Églantine! Églantine!

— Faites venir Mme Pittivier, vite! cria Gylfie.

Les heures n'avaient plus de prise sur Soren. Était-ce le jour ? La nuit ? Combien de temps s'était écoulé depuis qu'on avait ramené sa sœur ? Au début, il était hébété tandis que Mme Pittivier s'occupait d'Églantine sans relâche.

— Elle va vivre ?

Il ne trouvait rien d'autre à dire.

— Je ne sais pas encore, trésor, avoua franchement Mme P. Il faut continuer de se battre.

Au bout d'un moment, il parvint à sortir de sa torpeur pour l'aider.

— Églantine, chuchota-t-il en lui donnant une gorgée d'infusion. C'est moi, Soren. C'est ton frère.

Celle-ci, les paupières mi-closes, se contenta de réciter les ritournelles que chantaient tous les nouveaux venus.

Son état s'améliora peu à peu ; elle reprit de la vigueur. Quand, enfin, ses yeux s'ouvrirent en grand, Soren explosa de joie.

— Églantine ! Églantine ! C'est moi, Soren ! Et Mme P. est là aussi !

Mais le regard de la jeune Tyto Alba resta vide et inexpressif. Elle ne parut même pas le reconnaître. Elle fit claquer son bec et reprit aussitôt ses jacassements incohérents. Soren soupira.

— Patience, mon cher enfant, patience, dit Mme Pittivier. Il faudra du temps. Sa voix est déjà beaucoup plus forte.

Ce qu'il entendait le tourmentait beaucoup. Elle ne parlait que de vengeance, de pureté, de la supériorité de l'espèce suprême et d'un monde idéal peuplé uniquement de Tytos. Comment lui expliquerait-il que ses meilleurs amis étaient une chevêchette elfe, une chouette lapone et une chouette des terriers? Qu'ils étaient comme les quatre doigts de la patte, unis à jamais?

Le lendemain, Églantine était assez en forme pour faire quelques pas. Soren la guida avec prudence jusqu'à une branche, où il resta perché près d'elle. Il ne nota aucune amélioration dans son comportement. Autant essayer de bavarder avec une souche! Il l'invita ensuite à dormir dans le creux qu'il partageait avec ses copains. Primevère les y retrouva juste avant la berceuse de Miss Plonk.

— Tu vois, Églantine, lui dit-elle en lui montrant un joli bijou, depuis mon arrivée ici, je collectionne des baies à chaque saison. J'en ai des blanches que j'ai cueillies en hiver, des argentées qui datent du printemps et des dorées de cet été. Je fais un collier avec. Je t'en ferai un aussi, si tu veux.

Elle n'obtint aucune réaction.

— C'est encore pire que d'être déboulungé, glissa Soren à l'oreille de Gylfie.

La chevêchette ne savait pas quoi dire. Elle était sincèrement désolée pour son copain. Il avait rêvé si fort de revoir sa petite sœur. Mais la retrouver dans cet état était un peu comme la perdre une deuxième fois.

— Puis-je entrer ? demanda Otulissa en pointant le bout de son bec.

— Bien sûr, acquiesça Soren.

— J'ai passé beaucoup de temps à la bibliothèque à étudier les Tytos, dans l'espoir de découvrir des indices qui permettraient d'expliquer la situation. Mais je me suis laissé distraire par un livre, écrit par une chouette tachetée très renommée, sur le cerveau des chouettes, leurs sentiments et leur gésier.

— Oh ! grogna Perce-Neige en régurgitant une pelote par la fenêtre du creux. Encore une parente à toi, je suppose ?

— Eh bien, c'est fort possible. Il y a parmi mes ancêtres de nombreux esprits éclairés et notre famille remonte à très, très loin. Toujours est-il que d'après ce livre ta sœur pourrait souffrir de « giseropathie ». C'est une sorte de maladie qui amoindrit la sensibilité du gésier. Il devient comme endurci et rien ne peut l'atteindre. Cela entraîne aussi des dysfonctionnements du cerveau.

— Je suis beaucoup plus avancé maintenant, lança Soren d'un ton sarcastique. Au nom de Glaucis, à quoi tu veux que ça me serve ?

— Heu... je ne sais pas... J'ai juste pensé que tu apprécierais de savoir ce qui la mettait dans cet état. Tu vois, elle ne fait pas exprès de ne pas se souvenir de toi. Enfin... Je suis sûre qu'elle t'aime encore.

Soren la foudroya du regard.

— Oh, bon sang, gémit-elle, les yeux pleins de larmes. Je m'exprime mal. Je voulais seulement me rendre utile.

Il soupira et lui tourna le dos, faisant mine de répartir le duvet qu'ils avaient préparé pour le nid d'Églantine.

Il ne put fermer l'œil de la matinée. De l'aube silencieuse jusqu'au soleil de plomb de midi, il remâcha sa solitude. Il se sentait plus seul au monde que lors de cette nuit terrifiante où son frère Kludd l'avait poussé du nid. Plus seul même qu'à l'époque de Saint-Ægo. Ou qu'à l'instant où il avait abandonné tout espoir de revoir sa famille. Le sentiment qu'il éprouvait à présent était insoutenable, indescriptible. Il n'avait retrouvé que le fantôme d'Églantine.

24
La marchande Maxi

Ces derniers mois, Soren n'avait eu qu'une hâte : rencontrer enfin la marchande Maxi. Il avait l'impression d'avoir attendu sa venue à Ga'Hoole pendant une éternité. Et à présent que ce vieux rêve était sur le point de se réaliser, il ne s'en souciait plus.

Un bourdonnement d'excitation emplit l'Arbre dès la fin de l'après-midi, tandis que ses occupants quittaient leur creux pour se préparer à l'arrivée de la pie. Tout le monde était enthousiaste, à l'exception de Soren et des serpents, qui considéraient les pies comme les pires spécimens de mous du croupion, presque à égalité avec les mouettes. Néanmoins, la jeune effraie avait prévu d'aller contempler les étals en compagnie d'Églantine, même s'il n'avait pas grand espoir que le marché éveille la moindre émotion chez sa sœur.

Si le retard de Maxi le laissait indifférent, Miss Plonk, elle, était au bord de la crise de nerfs. Depuis sa chambre, il l'entendait pester en contrebas, postée sur un perchoir de guet.

— Si un jour ce maudit oiseau atterrit à l'heure, je vous promets que j'avale ma harpe ! Elle n'a aucune notion du temps. Et voilà, il fait presque nuit !

Soudain, un charmant gazouillis surgit de la nuit.

— C'est elle !

Le chant de la pie était célèbre. Son roucoulement unique fut bientôt couvert par un grand tumulte, tandis que les chouettes s'élançaient ensemble vers la base de l'arbre, où elle s'apprêtait à exhiber ses marchandises. Elle venait en général avec plusieurs assistantes, chargées des paniers contenant ses « collections », comme elle disait.

— Tu veux y aller, Églantine ? proposa Soren.

Elle accepta de le suivre sans un mot. À défaut d'avoir retrouvé sa personnalité, elle avait récupéré ses capacités physiques en un éclair. Elle s'envola donc sans peine et ils se posèrent côte à côte devant Maxi.

L'ambiance était festive. Les jacasseries allaient bon

train et Cordon-Bleu avait confectionné des tonnes de friandises. Bubo s'avança d'un pas lourd et donna une accolade chaleureuse à Maxi, manquant l'écraser. Elle ne ressemblait pas du tout à l'image que Soren s'en était faite. Son plumage était très noir, lustré et parsemé de quelques plumes blanches. Elle avait une queue immense et, au clair de lune, ses rectrices accrochaient des reflets verdâtres. Enfin, un bandana coquet ornait sa tête.

— Quand il n'y en a plus, il y en a encore, mes chéris ! gloussa-t-elle à la cantonade.

Soren faillit tomber à la renverse. Comment une gorge capable de produire un chant si mélodieux pouvait-elle émettre un cri aussi rauque que celui d'un corbeau ?

— Allons, avançons ! Ne soyez pas timides ! Bubble, Bubble ! Où sont passés ces brillants que j'ai pris au... bidule, là ? Fais un effort, tu sais très bien de quoi je parle. Ma chère, lança-t-elle à Miss Plonk, je t'ai amené une pièce de velours d'un soyeux ! Tu m'en diras des nouvelles. Qui veut des pompons ? Avec de jolis cristaux au bout, vous obtiendrez un magnifique carillon... Bubble ! Apporte-moi les cristaux, et au pas de charge ! Boron, je vous garantis que les bons assistants sont rares de nos jours. On pourrait croire que l'opportunité de servir la célèbre Maxi leur donnerait des ailes, pensez-vous ! Comment va votre dame ? Où est-elle ?

— Elle s'est absentée, répliqua Boron d'un ton énigmatique.

Elle le dévisagea un instant, de son petit œil noir à moitié caché par le foulard. Puis, alors que le roi s'éloignait, elle reprit son monologue.

— Oh, je me mêle de mes oignons, moi. Je ne pose pas de questions. Je ne suis pas du genre à fourrer mon bec partout.

— Ha, ha ! s'esclaffa Bubo. Regardez-moi cette quantité de pacotille ! Tous ces machins, ça ne vaut pas mieux qu'un tas de pelotes.

— Oh, fiche-moi le camp d'ici, Bubo. Toi et tes pelotes ! D'ailleurs, je suis surprise que tu t'abaisses encore à discuter avec des mous du croupion comme nous autres, les pies.

— Allons, Maxi. Je ne suis pas snob, tu me connais. Je ne t'ai jamais méprisée. Tu n'as rien d'une mouette, beauté.

— N'essaie pas de m'embobiner, Bubo. C'est vrai, je suis au moins deux fois plus intelligente et dix fois plus jolie qu'une mouette. Mais je suis loin d'être aussi ravissante que Miss Plonk. Et attends de l'admirer dans cette splendide tapisserie que je lui ai dénichée.

Elle rejoignit sur-le-champ cette dernière pour l'aider à arranger élégamment le drapé sur ses belles épaules de neige. Soren sentit Églantine tressaillir.

— Ça va, Églantine ?

Elle s'était tournée vers Miss Plonk, qui s'admirait dans un miroir cassé tendu par Maxi.

Ils poursuivirent leur chemin en lorgnant une foule d'objets étalés sur des pans de tissu : une montre rutilante, des soucoupes ébréchées accompagnées d'un panneau qui indiquait « réparable », ainsi qu'une étrange fleur que Soren examina avec attention.

— Ce n'est pas une vraie, l'informa la petite pie, Bubble.

— Alors, c'est quoi ?

— C'est une fausse fleur.

— À quoi ça sert ?

— Elle ne se fanera jamais. Tu comprends ?

Non, en vérité, il ne voyait pas trop l'intérêt.

Malgré l'atmosphère joyeuse, il nota que Boron et Strix Struma restaient à l'écart et discutaient à bâtons rompus, étrangers à l'esprit festif de la soirée. En revanche, ses amis s'amusaient bien. Primevère avait troqué un de ses bracelets de baies contre un minuscule peigne et Spéléon avait cédé un galet rond et lisse pour avoir un coquillage.

— Il paraît qu'il vient de l'océan et qu'autrefois un minuscule animal vivait à l'intérieur, expliqua-t-il.

La lune commençait à disparaître derrière l'horizon quand Maxi ramassa ses marchandises. Ce serait bientôt l'heure de se souhaiter un bon potron-minet. Soudain, Soren se rendit compte qu'Églantine s'était sauvée. Après quelques secondes de panique, il l'aperçut devant une toile jonchée de débris de verre et de cailloux colorés, que Bubble était sur le point de remballer.

— Elle n'a pas bougé d'un cil depuis plusieurs minutes, affirma-t-elle. Elle reste là, à fixer cette pierre. D'après Maxi, ce n'est pas de l'or, mais du mica. Elle n'est pas vilaine, remarque ! Elle brille bien par endroits et si tu la mets face à la lune, la lumière filtre un peu au travers. On dirait un miroir poussiéreux. Elle a dû taper dans l'œil de ta sœur. Elle a un p'tit problème, hein? souffla-t-elle. Viens par là, chérie, je vais te montrer quelque chose de très beau.

Elle prit la lamelle de mica et la plaça dans le prolongement de l'astre déclinant. Quand son rayon toucha la gemme, celle-ci s'illumina. Au même instant, Mme P. et ses compagnes attaquèrent leurs arpèges, et la musique caressante de la grande harpe s'éleva. L'espace d'une seconde, la pierre chatoya au centre d'un tourbillon de couleurs et de notes fragiles.

C'est alors qu'Églantine fut prise de convulsions épouvantables.

— L'Endroit ! L'Endroit ! hurla-t-elle.

Soren entrevit subitement des bribes de vérité sur le cauchemar vécu par sa sœur, même si les circonstances en demeuraient obscures. Il posa une patte sur son épaule et la fit pivoter face à lui.

— Églantine, chuchota-t-il.

— Soren ? fit-elle en clignant des yeux. Oh ! Soren !

— Ce n'est pas ma faute si elle sanglote comme ça,

Maxi, je le jure, geignit Bubble. J'étais en train de tenir ce bout de verre, celui qu'on a pris dans le château à Ambala, et elle s'est mise à délirer.

— Conduis-moi à la musique, Soren, s'il te plaît ! criait Églantine. Emmène-nous vers la musique !

25
L'Aurora Glaucora

Soren était perché sur une mince branche près d'Églantine. Il enveloppait les épaules de sa petite sœur d'une aile protectrice. C'était un miracle : elle était enfin de retour. Et elle voulait écouter la musique avec lui. Il était si heureux qu'elle aurait pu lui demander n'importe quoi – même se pendre par les serres et se laisser dévorer par les corbeaux –, il aurait obéi aussitôt. Les poussins rescapés étaient rassemblés dans la ramure, tout autour du creux qui servait de salle de concert. Miss Plonk autorisait rarement les chouettes à assister aux répétitions mais, cette nuit-là, elle avait décidé de faire une exception. Boron se posa près d'Églantine. Il venait admirer les serpents de la guilde s'installer à la harpe. La moitié de ces femelles jouaient sur la partie supérieure de l'instrument, et la seconde moitié sur la partie basse.

Quelques-unes, parmi les plus talentueuses, étaient surnommées les « funambules » ; leur travail particulier consistait à sauter d'une octave à l'autre, c'est-à-dire à gravir les huit degrés de l'échelle diatonique. La grande harpe contenait six octaves et demie, du do bémol au sol bémol, lequel se trouvait trois octaves et demie au-dessus du do du milieu. Un serpent capable de réaliser cette glissade en une fraction de seconde, et sans bavure, produisait un son cristallin de toute beauté. De tels talents étaient rares. De plus, selon les partitions, ce pouvait être une tâche épuisante.

Mme P. appartenait à ces surdouées. Soren vit une flèche rose filer entre les cordes et reconnut sa nounou ! En un éclair, elle était de retour à sa position initiale. Non seulement la musique était splendide, mais le spectacle était formidable. Avec leurs teintes variant du rose doux au corail, les reptiles dessinaient un motif toujours changeant tandis qu'ils s'entrecroisaient comme les navettes des tisserandes entre les cordes.

Miss Plonk et ses musiciennes interprétaient une vieille cantate bucolique. Églantine les contemplait avec une expression détendue, ébahie. Les oisillons arrivés au

Grand Arbre la même nuit qu'elle avaient tous subi cette étonnante transformation. On n'entendait plus le moindre claquement de bec. Ils étaient silencieux et contents.

Boron les observait, perplexe. Il était, bien sûr, soulagé qu'ils aient cessé leur babillage absurde. Mais il ne comprenait pas ce qui s'était passé. Il sentait qu'au-delà de la mer d'Hoolemere, un terrible danger était tapi dans l'ombre, attendant son heure. Et pourquoi Ezylryb n'était-il pas rentré ? Barrane, à son retour sur Hoole, avait été surprise de ne pas l'y trouver. Elle était convaincue qu'il était parti avec une large avance sur elle.

— Ne te tracasse pas, il sera bientôt là, la rassura son mari.

Soren étudia les visages des monarques de Ga'Hoole. Malgré leurs paroles de réconfort, ils ne parvenaient pas à masquer leur inquiétude. Lui-même éprouvait une certaine anxiété.

— Je crois qu'ils se font du souci pour Ezylryb, dit Gylfie.

— Peut-être qu'on devrait explorer les alentours demain ?

Perce-Neige et Spéléon les rejoignirent.

— Vous avez perdu quelque chose ? demanda Spéléon.

— Oui : Ezylryb, répondit Perce-Neige. Je les ai entendus discuter, moi aussi.

Un immense éclair dans le ciel arracha un cri de surprise à l'assistance. Une vive lumière avait traversé la nuit noire.

— Qu'est-ce que c'était ?

— Oh ! Par Glaucis ! Nous sommes bénis ! hulula Barrane.

— L'Aurora Glaucora, proclama Boron.

Soren, Églantine et leurs amis échangèrent des regards déconcertés. De quoi parlaient-ils ? Le ciel était à présent inondé de mille couleurs, comme une gigantesque bannière chatoyante. Miss Plonk abandonna son perchoir et sortit dans l'aube éclatante. Sans cesser de chanter, elle se faufila entre les rais de lumière, captant dans son plumage blanc des reflets irisés. Ce tableau était un enchantement. Soren se rappela ce lointain matin où elle l'avait invité à voler avec elle sous l'arc-en-ciel. Cependant, l'arc-en-ciel était pâle comparé à cet incroyable paysage. Il mourait d'envie de plonger dans cet océan miroitant.

Pourtant, ces traînées phosphorescentes dissimulaient des ombres maléfiques. Ezylryb n'était toujours pas rentré, les patrouilles de Saint-Ægo restaient actives, et l'impensable, l'innommable, le « si seulement » les menaçait.

Soren frissonna. Le monde était devenu trop compliqué et mystérieux pour lui. Comment tant de beauté et tant de perfidie pouvaient-elles cohabiter ? Églantine se pelotonna sous l'aile de son grand frère.

— N'est-ce pas magnifique, Soren ?

— Oui, acquiesça-t-il d'un air distrait.

Au fond, il était transi d'effroi. Voler à côté d'Églantine aurait suffi à son bonheur. Mais demain il chercherait Ezylryb, son maître, l'érudit du Grand Arbre, dont l'œil torve et doré brillait d'une intelligence peu commune.

D'ici là... Les deux jeunes effraies levèrent leurs visages blancs vers le ciel et répondirent à l'appel de l'Aurora Glaucora.

TABLE

La chouette effraie

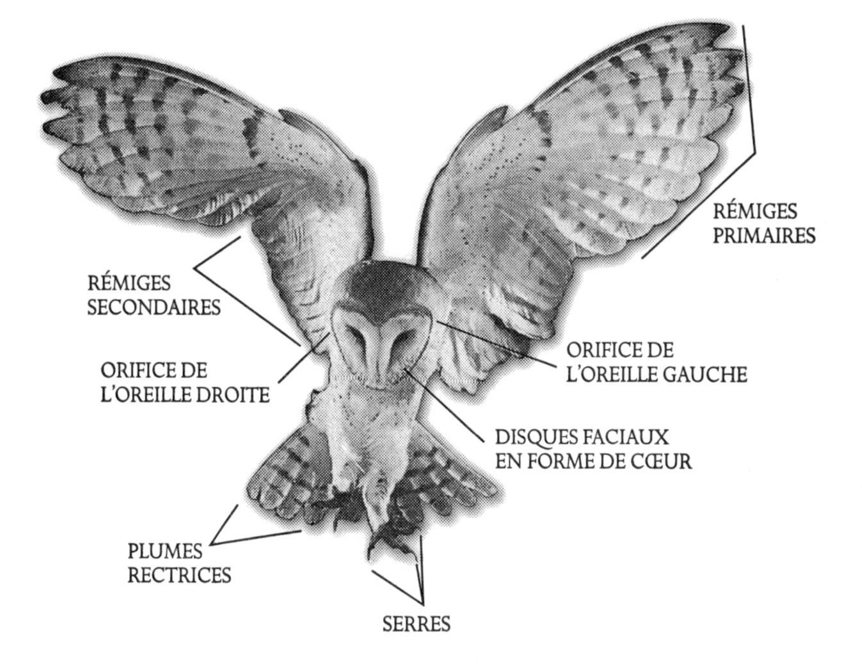

Du même auteur,
dans la même collection :

1. *L'enlèvement*
3. *L'assaut*
4. *Le siège*

Découvrez vite :

LES GARDIENS de GA'HOOLE

LIVRE III

L'assaut

KATHRYN LASKY

Cet ouvrage a été composé par
PCA - 44400 REZÉ

IMPRIMÉ EN FRANCE PAR BUSSIÈRE
à Saint-Amand-Montrond
N° d'impression : 073280/1. Dépôt légal : avril 2007.
Suite du premier tirage : novembre 2007.

12, avenue d'Italie
75627 PARIS Cedex 13